MICHELANGELO

미켈란젤로 부오나로티

MICHELANGELO
미켈란젤로 부오나로티

피에르뤼지 데 베키 / 정진국·최윤정 옮김

위대한 미술가의 얼굴

열화당

MICHELANGELO

피에르뤼지 데 베키/정진국·최윤정 옮김

초판발행——1991년 10월 1일
발행인——이기웅
발행처——열화당
등록번호——제 10-74호
등록일자——1971년 7월 2일
편집——김수옥·공미경·김윤희·전미옥
디자인——기영내·박노경

Korean Copyright 1991
by Youl Hwa Dang Publisher, Seoul.

원본 편집 디자인 : 페테르 크납
　　　　　　　　크리스틴 사워

원본 자료 및 편집 : 베로니크 다미앙
　　　　　　　　나디아 제니르

원본 제작 : 래몽 레비
　　　　　　상드린느 비예유

© 1990, Sté Nouvelle des Editions du Chêne.

미켈란젤로

들라크르와는 19세기 중엽, 지금은 몽펠리에 박물관에 있는 작은 그림 속에다가 작업실에 있는 미켈란젤로를 옮겨 놓았다. 르네상스시대의 피렌체 예술가의 것이라기보다는 19세기의 어느 조각가의 작업실을 연상시키는 커다란 방 안에 〈모세〉와 오른쪽에는 〈메디치의 성모〉인 듯한 흰색의 커다란 형태가 보인다. 전면에는 붓을 바닥에 내던져 버린 미켈란젤로, 불만에 찬 그는 무엇엔가 짓눌려 있는 듯하다. 실베스트르라는 당대의 한 평론가에 따르면, 들라크르와는 이상적인 자화상 같은 것을 실현해 보려 했던 것 같다. 작품의 진정한 주제는 말할 것도 없이 창조의 순간에 예술가를 괴롭히는 의문과 내면의 고통일 것이다.

'멜랑콜리'는 낭만주의 예술가들이 선호하는 주제였지만 르네상스시대에 벌써 나타나고 있다. 동시대인들이 볼 때 미켈란젤로는 자신의 작품에 대해 고질적인 '우울함'을 느끼는 듯했는데, 특히 작품이 원숙해진 시기에 더욱 그러했다. 바사리가 말했듯이 그의 〈최후의 심판〉은 위대한 작품이었지만, 그는 자신의 작품에 대해 만족해하지 않았다.

만족하지 못하고 고통받는 천재의 전형으로 미켈란젤로를 선택한 들라크르와의 이 작은 그림은—낭만주의 화가들은 쉽게 이 그림에 자기를 동일시했다—특히 미켈란젤로 작품의 운명을 말해 준다는 점에 있어서 의미심장하다. 한편 「일기」(『파리 리뷰』 1830)의 몇몇 부분과 발표된 에세이 두 편(『두 세계 리뷰』 1837)에서 볼 수 있듯이 들라크르와는 미켈란젤로 부오나로티의 그림과 조각에 깊이 매료되었다. 말년에는 확실히

티치아노의 그림을 더 좋아했고 부오나로티에 대해서는 침묵했지만, 들라크르와가 그의 작품에 매료되었음은 분명하다.

작품의 몇 가지 형식적인 면모와 기술적인 면에 대한 통찰력 외에도 이 글들에서는 정열적인 한 고독한 예술가의 이미지, 스탕달이 그의 『회화사』(1817)에서 해석하고 있는 것과도 유사한 이미지를 읽을 수 있다. 스탕달은 〈최후의 심판〉이 여전히 미술계에서 경시되고 있음을 환기시키면서 몇 십 년 안에 '미켈란젤로 풍'이 다시 생겨날 것을 예고했다.

〈미켈란젤로 부오나로티〉
J. 델 콘테

미켈란젤로 부오나로티의 작품과 인간성을 재발견하는 데에는 들라크르와와 스탕달 사이에 제삼의 인물 제리코가 있어 도움이 된다. 그가 이탈리아를 여행(1816-1817)하기 전에는 미켈란젤로의 작품을 원작을 모사한 판화를 통해서만 알고 있을 뿐이었다. 그가 한 친구에게 고백한 바에 따르면, 시스티나 예배당 벽화와의 만남은—로마에 도착하자마자 그는 그리로 달려갔다—그에게 좀처럼 헤어나기 힘든 감동과 충격을 주었다고 한다. 이 첫번째 충격이 불러일으킨 현기증은 그 벽화들에 대한 체계적인 연구와 〈최후의 심판〉의 수많은 부분을 모사하는 행위로 이어진다. 그 영향은 〈메두사의 뗏목〉(1819)의 서사적 재현과 그 이전의 많은 연구들에서 쉽게 볼 수 있다.

부오나로티의 작품에 대해 스탕달과 제리코 그리고

들라크루아가 취한 태도의 중요성과 독창성을 더 잘 이해하기 위해서는, 그들의 관심과 경탄이 19세기 초엽 프랑스 미술계에서는 공감대를 얻기 어려운 것이었다는 것을 기억해야 한다. 거기서는 그때까지도 미켈란젤로의 영향은 '취향을 타락'시키며 조화롭고 세련된 감수성을 형성하는 데 방해가 되는 위험하고 불결한 것으로 간주되고 있었다.

이들 낭만파 세 거장들의 태도는 깊은 정신적 유사성에서 유래한다. 그러나 중요도는 덜하지만 18세기 말엽 영국에는 이미 그들 이전에 레이놀즈, 퓌슬리 그리고 블레이크 등의 간접적인 선구자들이 있었다. 이들은 다양한 시각에서 미켈란젤로를, 거역할 수 없는 천재성으로 아카데믹한 틀의 관행을 뒤집은 '영웅적인' 예술가로 보고 있었다.

〈남성 누드〉
(〈에리트리아의 무녀〉 윗 부분)

약 이백여 년 동안 미학적 도덕적 편견에 의해 미켈란젤로의 작품들이 경시되었지만, 프랑스와 영국에서 그의 작품을 감상하고 평가하는 태도에 근본적인 변화가 일기 시작한 것은 이렇게 해서이다.

미켈란젤로에 대한 비난은 격렬한 것은 아니었으며, 처음부터 한 예술가가 생전에 얻을 수 있는 가장 화려한 명성을 가져다 주는 것이었다. 1540년, 미켈란젤로가 피렌체를 완전히 떠나 로마로 옮겨 간 뒤부터 '신화'가 자리잡기 시작했다. 그는 벌써 사람들이 향수를 가지고 바라보는, 스러져갈 수밖에 없는 문명의 절정인 한 시대의 최후의 생존자였다. 그는 말년에 그의 작품에서 고대와, 자연 그 자체보다 우월한 완벽함과 절대적 이데아의 구현을 발견한 당대의 가장 영향력있는 비평가들과 젊은 세대들의 찬탄에 둘러싸였다.

"이 사람은 예전에 이미 자연을 어느 정도 극복한 사람들뿐만 아니라 훌륭하게 자연을 초월한 고대미술품까지도 지배하고 넘어서고 있다. 오직 이 사람만이 양자를 모두 이겨내고 있는 것이다. 그가 신적인 천재성 덕분으로 작업, 데생, 예술, 판단과 은총을 통해서 그들을 훨씬 능가하고 있다는 것은 지극히 당연한 일이다." 바사리가 『예술가들의 전기』(1550)를 처음 쓰면서부터 미켈란젤로에게 보내고 있는 찬사는 무척 과장되어 보이지만, 그것은 한 숭배자의 열정만이 아니고 널리 퍼져 있는 평가와 생각들을 반영한 것이다.

미켈란젤로를 가장 혹독하게 비난했던 배신자 아레티노까지도 1537년 부오나로티에게 다음과 같은 편지를 썼다. "당신의 내부에는 또다른 자연의 비밀이 살아 있습니다." 1550년 바사리는 논의할 가치가 있는 현존하는 유일한 예술가 미켈란젤로와 더불어, 일종의 상승원리에 따라 '예술의 완성'에 도달하기 위하여 웅대하고도 엄격한 계획하에 『예술가들의 전기』를 펴냈다. 그러나 그 이전에 도나토 지아노티와 프란체스코 데 홀란다의 『대화』와 베네데토 바르키가 출간한 미켈란젤로의 소네트에 관한 『수업』은 벌써 그를 유명하게 만드는 길을 열어 놓고 있었다. 그것은 거의 '경배'에 가까운 것이었으며, 그의 작품뿐만 아니라 점점 더 '신격화'되고 있는 인간성까지도 다루고 있다. 1550년대에 안톤 프란체스코 도니의 글과 아스카니오 콘디비가 쓴 전기(1553)는 이 예술가의 '영웅적'이고 거의 초인간적인 면모에 관해 기술하고 있다. 다음에 언급하겠지만, 〈최후의 심판〉은 처음으로 그의 비방자들로 하여금 글을 쓰게 만들었다. 아레티노는 그 유명한 편지에서 (1545년 11월), 〈최후의 심판〉은 '음란'하고 '적정선'을 무시했으며 이교적이라 할 만큼 '역사적 사실'을 왜곡했다고 비난하면서, 특히 로도비코 돌체(1557)에게서 유래하는 상당한 형식상의 유보조건을 붙이고 있다.

복 제품들의 수효가 증명하듯, 당대의 화가들에 비해 미켈란젤로의 작품이 거둔 성공은 괄목할 만한 것이었다. 그러나 그는 곧 '균형'과 '조화'가 결핍되었으며 단조로우면서도 지나치게 해부학적인 재주를 부렸다는 비난을 받게 되었다. 아레티노는 미켈란젤로의 작품을 '창조의 쾌적한 아름다움 속에 드러나는 라파엘로의 저 유명한 은총'과 대비시킴으로써 이탈리아에서는 발로네에서 벨로리와 밀리치아에 이르는, 그리고 프랑스에서는 프레아르 드 샹브레에서 펠리비엥과 카트르메르 드 켕시에 이르는 17, 8세기의 고전주의 옹호자들의 비평의 길을 열었다. 라파엘로나 고대미술과의 부정적인 비교, 지나치게 '해부학적'이라는 비난 등은 미켈란

〈등 뒤에서 본 남성 누드〉

젤로를 비방하는 자들의 공통분모였다. 그들의 몰이해와 적의는 종종 그를 '취향을 타락시키며' 모든 규칙과 '어울림'을 체계적으로 파괴시키는 첫째 요인으로까지 몰아 가곤 했다. 프레아르 드 샹브레는 미켈란젤로의 예술을 '저속한 방임주의'로 규정했다.(1662) 이백여 년의 불명예의 세월을 거치고 나면 일정한 태도와 논의는 자연히 일반적인 경향을 따르게 된다. 이는 무엇보다도 예술가들의 세계에서 확인되는 진리이다. 미켈란젤로의 작품은 여전히 직접적인 연구와 그리고 간접적으로는 복제화를 통해 카라밧지오에서 카라치에 이르는, 그리고 특히 루벤스, 벨라스케스, 렘브란트, 푸생에 이르는 많은 거장들에게 생생한 영감의 원천이 되었다. 베르냉에 의하면 미켈란젤로는 "화가, 조각가로서도 위대했지만, 건축가로서는 정말 신과도 같은 능력을 지닌 사람이었다"고 한다.

이론서들은 그의 데생의 위대성을 반박해 본 적이 없으며, 페늘롱과 뒤 보스 신부는 그를 '그림에 있어서의 코르네유'라고 할 만한 피렌체의 예술가라고 정의했다. 특히 그의 데생의 많은 부분을 소장하고 있는 유명한 미술품 감정가이며 수집가인 마리에트의 지적은 한층 더 명확하다. 마리에트는 바사리 이후 라파엘로 작품의 형성기에 미친 미켈란젤로의 중요성을 강조하면서 그를 '파격주의자'로 내모는 모든 비난에 대해 반격을 가하고, 단호한 어조로 "단테의 천재성은 미켈란젤로의 〈최후의 심판〉에서 다시 나타난다"고 말한다.

18세기 말엽, 이탈리아에서는 밀리치아와 란치의 글을 통해 고전주의자들의 편견이 조금도 변함없이 되풀이되고 있는 것을 볼 수 있다. 그러나 독일 신고전주의자들의 견해는 약간 달랐다. 특히 빈켈만은 부오나로티를 그리스시대 이후 카노바(1755) 이전의 가장 위대한 조각가라고 정의하면서도, 그에게서 진정한 '미의 감정'을 부인하고—이는 아마 멩스의 영향인 듯하다—다시 한번 그가 '취향의 퇴화'를 가져 왔다고 비난한다. 미켈란젤로의 '천재성'을 확인할 수 있는 것은 젊은 괴테가 쓴 『이탈리아 여행』에서뿐이다. 그러나 괴테 역시 나중에는 라파엘로를 더 좋아하게 된다.

미켈란젤로의 작품에 대한 스탕달과 제리코, 들라크르와의 관심에서 비롯된 정신적 동질성과 외롭고 고통받는 천재의 이미지에—그들 역시 이런 이미지를 만들어내는 데에 공헌했지만—자신을 동일시하려는 경향은 낭만주의 문화에 커다란 반향을 남겼을 뿐만 아니라, 19세기 후반의 미켈란젤로 개인과 작품에 대한 역사적 연구와 비평을 활발하게 만들었다.

이 시기에는 지나간 시대처럼 고전주의적 편견이 통용되지 않았다. 도덕적 편견만이 몇몇 사람들에 의해서 여전히 주장되고 있을 뿐이었다. 예를 들자면 러스킨(1872)같은 이는, 고대 그리스인들이나 르네상스의 베네치아 예술가들이 인간의 육체를 표현할 때 '성실하고 겸허하며 자연스러운' 데에 비해 미켈란젤로는 '추잡하고 불손하며 인위적'이라고 평했다. 여전히 사람들은 그의 인간성을 더 문제삼고 있었다. 그를 시대적인 맥락 속에 집어넣으려고 애쓰는 학자들도 그의 작품보다는 개인을 더 문제삼았다. 야콥 부르크하르트 역시 『키케로』의 미켈란젤로에 관한 부분에서 그의 성격의 가혹한 부분에 대해서 길게 쓰고 있다. 이렇게 볼 때 1860년부터 이십 년 동안 그에 관해 중요한 전기가 특히 많이 출간되었다는 사실은 의미가 깊다고 하겠다. 그림(1860-1863), 고티(1865), 시몬즈(1883), 쥐스티(1900), 로맹 롤랑(1905), 토로(1908-1913) 등이 쓴 전기가 이 시기에 발간되었다. 미켈란젤로의 젊은 시절 작품에 대한 연구서를 쓴 뵐플린은 전기적인 언급을 원칙적으로 피하고 있으며, 그에 관한 낭만적 이미지와 그에게 바쳐진 경배를 청산한다는 의미에서 결정적인 하나의 단계를 나타냈다고 하겠다.

그때부터 전 세계적으로 미켈란젤로의 활동의 여러 면모와 그 시대의 사회·문화적 배경과의 복합적인 관계에 대한 많은 연구가 쏟아져 나오기 시작했다. 이 몇 십 년 동안 정열적인 연구와 토론이 증가한 것은, 결국 시대를 막론하고 점점 더 많은 사람들로부터 가장 위대한 예술가의 한 사람으로 꼽히고 있는 그의 작품과 개인에 대한 관심이 고조되었음을 의미하는 것이다.

최근 시스티나 예배당의 천정 벽화의 보수작업은 —〈최후의 심판〉의 보수작업은 겨우 시작 단계에 불과하다—본래 색채의 찬란함을 드러내 주었고, 미켈란젤

〈남성 누드〉
(〈이사야〉 윗 부분)

로의 예술과 화법에 대한 지식을 새롭고 풍부하게 해 주었다. 그러한 작업에 관한 비평—아직은 소수이고 학술적인 바탕이 결여되어 있지만—에 대한 대중매체의 대응방식은 그의 대중적 명성을 확인시켜 준다.

미켈란젤로는 르네상스시기의 몇 안 되는 귀족 출신 예술가 가운데 한 사람이었다. 그의 제자인 아스카니오 콘디비가 쓴 전기에 따르면 부오나로티의 가문은 카놋사 백작의 후손이다. 카놋사는 피렌체의 오래된 가문으로, 그 가족들은 14세기 후반과 15세기 초반에 공직을 맡고 있었으나 재정적인 파탄으로 몰락하고 만다.

미켈란젤로의 아버지 루도비코는 그가 태어났을 때 카프레세와 키우시의 행정관이었다. 몇 달 후 임기가 끝나자 그의 가족은 피렌체로 돌아와 조촐한 삶을 꾸려 가면서도, 귀족의 특권을 놓치지 않으려 애쓴다.

미켈란젤로는 여섯 살에 어머니를 여의고, '소학교'에 들어가 인문학자인 프란체스코 다 우르비노의 지도를 받는다. 그는 곧 미술에 뛰어난 두각을 나타냈고 그의 친구이며 화가인 프란체스코 그라나치의 격려에 힘을 얻는다.

가문에 걸맞지 않는다는 이유로 가족들이 화가라는 직업에 반대했음에도 불구하고, 1488년 젊은 미켈란젤로는 '그림 그리는 법을 배우기 위하여' 삼 년 계약으로 도메니코 기를란다요의 화실에 견습생으로 들어간다. 동시에 그는 화실에서 육 플로린에서 삼 년 뒤에는 십 플로린으로 오르게 되어 있는 보수를 받고 일을 한다. 이 계약은 바사리가 『예술가들의 전기』의 재판본에서 인용해 놓고 있다. 그러나 콘디비는 이 일화를 언급하지 않고 지나친다. 미켈란젤로가 화실과는 관계 없이, '자연이 끊임없이 그를 자극했으므로' 오로지 거역할 수 없는 사명감을 가지고 정진하는 예술가로 자신의 이미지를 만들어 가고자 했기 때문이다. 반면 콘디비는, 젊은 미켈란젤로를 '아들처럼 여겨' 자신의 궁전에 맞아들여 수집해 놓은 고대미술품들을 마음대로 보게 하고 인문학자와 문필가 그룹을 가까이하게 한 로렌초 대공의 호의에 대해서 강조하고 있다. 이때

〈샤를르 8세의 피렌체 입성〉(부분)
그라나치

만난 사람들이 폴리치아노와 프란체스코 란디노, 마르실리오 피치노에 이르는 일련의 예술가들이다. 그들은 예술활동이 '기계적인' 것이 아니며, 영감과 '창조의 격랑'이라는 점에서 보면 지적이고 가장 뛰어난 것 중의 하나라고 생각하는 사람들이다.

기를란다요의 화실에서 몇 달을 보내는 동안 미켈란젤로는 산타 마리아 노벨라 성당에 있는 토르나부오니 예배당의 일련의 벽화작업을 하면서, 피사의 카르미네 성당에서는 마사치오의 그림을, 산타 크로체에 있는 페루치 성당에서는 지오토의 그림을 모사해 놓는다. 이러한 모델의 선택은 조금도 놀라운 일이 아니다. 왜냐하면 바로 그때 기를란다요는 르네상스시대의 토스카나 예술의 원류로 돌아가고자 노력하고 있었기 때문이다. 그러나 분명하게 구별하기를 좋아하는 젊은 미켈란젤로는 그의 데생에서 벌써 기념비적인 조형 효과를 강조하면서, 그 스타일의 근본적 요소들을 드러내고 있었다.

기를란다요의 화실을 그만두고 메디치 가문에 들어간 것, 문화계 사람들을 자주 만나 그의 개인과 예술과 미에 대한 개념에 깊은 영향을 받게 된 것, 도나텔로의 제자이며 협력자인 베르톨도 디 지오반니가 이끄는 산 마르코 정원에서의 고대 대리석 연구 등은 젊은 시절 미켈란젤로에게 있어서 주요한 사건들이다. 이 시기부터 고대미술은 더이상 그에게 모방할 모델들이 아니었다. 그는 고대미술이 표현하고 있는 신화나 정열과 그 형태 사이의 분리될 수 없는 일체성을 인식한다. 그는 피렌체의 인문학자들과 어울리면서 익숙해지게 된 이러한 의식으로부터 교훈을 얻고, 유례없이 뛰어난 솜씨로 대상을 해석할 수 있게 된다. 초기 조각에서부터—〈계단 위의 성모 마리아〉와 〈켄타우로스족의 전투〉—주제와 형식간의 완벽한 일치를 보이며 이중의 양식으로 고전적, 기독교적 주제들을 동시에 다룰 수 있게 된다.

〈계단 위의 성모 마리아〉가 보여주는 조상의 간결하고 엄격한 특색은 고전주의적 묘비를 생각나게 한다. 그러나 잠든 아기 예수를 품에 안고 선지자적 자세로

먼 곳을 바라보고 있는 성모의 얼굴은 '스티아치아토 (얕은 돋을새김)'라는 도나텔로의 기법을 드러내 준다.

반면, 폴리치아노에게서 영감을 얻어 〈켄타우로스 족의 전투〉라는 신화적인 주제를 해석할 때, 미켈란젤로는 피렌체의 전통적인 15세기 도상 양식의 영향을 받지 않고 로마식 석관을 장식하는 전투장면과 지오반니 피사노의 제단화에서 영감을 얻었다. 이 작품을 베르톨도가 피사에 있는 캄포산토의 석관에서 고안해낸 〈기사들의 전투〉라는 브론즈로 된 부조와 비교해 보면, 미켈란젤로가 고대 양식을 모방하기는커녕 공간적 기준을 모두 없애고 나신들의 뒤얽힘이 만들어내는 동태적인 면에 역점을 두었다는 것을 한눈에 알게 된다.

〈켄타우로스 족의 전투〉는 15세기말 피렌체를 뒤흔들어 놓게 될 심각한 정치 종교적 위기를 예고하는 로렌초 대공의 죽음(1492)보다 약간 앞서 제작되었다. 프랑스 국왕 샤를르 8세의 이탈리아 원정은 반도 내의 여러 정부간의 아슬아슬한 정치적 균형을 깨뜨리고, 피렌체에서 민중의 봉기를 초래한다. 로렌초의 아들이며 그다지 호전적이지 못한 피에로 데 메디치는 추방당하고 도미니크 회의 사제인 사보나롤라를 필두로 하는 공화정이 들어선다. 그는 로마 교황청의 부패를 고발하고 전 세계적 개혁의 모범이 된 피렌체 사회개혁의 사도가 된다.

몇 년 동안 사보나롤라의 신봉자들 중에서 가장 완강하고 열광적인 무리들의 압력으로 인해 사건은 빠른 속도로 진행된다. 종교와 관습의 개혁을 내세워 신플라톤 학파적 교리와 모든 세속예술에 대해 맹렬한 단죄가 행해진다. 1497년, 카니발은 속죄의식으로 바뀌어, 피렌체 광장에 장작더미를 쌓아 놓고 책과 옷가지 그리고 귀중품들과 신화적인 그림들을 태웠다. 그것은 '허영을 불사르는 일'이었다. 약 일 년 후 사보나롤라는 바로 이 장작더미 위에서 교황에게 파문당하게 되어 그의 신봉자들에 대해 절망하고 반대파들의 반란에 부추김을 받은 피렌체 민중에 의해 버림받은 자신의 모습을 드러내게 된다. 이 사건들은 보티첼리에서 바르톨로메오 델라 포르타에 이르기까지 당대의 많은 화가

들의 의식 속에 깊은 충격을 주었다. 그리고 1494년 11월 피렌체를 떠나 베네치아로 갔다가 볼로냐에서 약 일 년간 살다 온 젊은 미켈란젤로를 뒤흔들어 놓는다. 산 도메니코 성당의 석관을 완성하는 데 쓰인 〈천사〉의 부조 하나와 〈산 페트로니오〉와 〈산 프로콜로〉라는 두 조각작품은 이 시기에 속한다. 전자는 자코포 델라 케르치아의 조각에서 영감을 얻는 것인데, 미켈란젤로는 산 페트로니오 성당 전면을 장식하고 있는 그의 부조를 열심히 연구했다. 후자가 나타내고 있는 육체적 정신적인 극도의 긴장감은 이미 그 거대한 〈다윗〉상을 예고하고 있었다.

〈십자가를 내리다〉(부분)
니콜로 델라르카

피렌체로 돌아온 이후 미켈란젤로는 실물 크기의 〈잠자는 큐핏〉이라는 조각으로 고대로 복귀하고 있었다. 분실된 조각품은 로렌초 데 메디치의 강력한 요구에 따라 발굴품과 흡사한 방식으로 다시 만들어졌다. 그것은 로마로 보내지고 거기서 정직하지 못한 중개상에 의해 미켈란젤로가 받은 것보다 엄청나게 많은 금액으로 유명한 고대미술품 수집가인 리아리오 추기경에게 팔린다. 소문을 들은 추기경은 피렌체에 사람을 보낸다. 그리고 사실을 알게 되자 〈큐핏〉을 반환한다. 그러나 작가의 재능에 반한 그는 미켈란젤로를 로마로 초대했고, 그는 거기서 1496년까지 머물렀다. 고대 복고풍의 분위기 속에서 그는 추기경이 수집해 놓은 작품들뿐만 아니라 다른 사람들의 수집품들도 감상하고 연구할 수 있었다. 이 작품들과 경쟁이라도 하듯이 그는 추기경을 위하여 '바커스'의 입상을 제작한다. 헬레니즘적인 모델에 걸맞는 돈을새김의 관능성을 통해, 그는 취기에 사로잡힌 듯 가볍게 떨고 있는 '바커스'의 청춘을 표현하고 있다.

〈계단 위의 성모 마리아〉가 〈켄타우로스 족의 전투〉와 같은 시대인 것과 마찬가지로 〈바커스〉라는 '이교적'인 작품과 연관되는 '기독교적'인 작품이 하나 있다. 1498년부터 당시 생 드니의 사제였던 장 드 빌레르 추기경을 위하여 조각한 〈피에타〉가 그것이다.

십자가에서 내린 예수의 몸을 받아 안으며, 고통스러워 하는 성모의 주제는 콰트로첸토 후반기에 이탈리아

〈바커스〉

화가들이 이미 많이 다루었던 주제이긴 하지만, 원래는 북유럽에서 유래한 것이다. 특히 독일에서는 성 금요일 예배에 쓰이는 목각으로 새긴 군상 또는 〈베스페르빌더〉라는 입상에 그 주제가 담겨 있다.

일반적으로 이 군상의 특색은 성모의 수직적인 실루엣과 예수의 수평으로 늘어진 육신이 이루는 대조로 규정된다. 그러나 미켈란젤로는 이 두 인물을 옷주름의 풍성한 리듬으로 우아하게 연결시키면서 이러한 대조를 웅장하고 정돈된 자연스러운 구성으로 대치시키고 있다. 타오르는 듯한 정념이 강조되는 '북구 풍의 애도'는 한결 고요하고 위엄에 찬 분위기로 이어지면서, 한치의 감상적인 군더더기도 없이 성모의 비통과 깊고 진중한 자애를 강조하고 있다.

형식적인 면에서 보면 이미지의 엄청난 '진실성과 자연스러움'은 세부의 '완벽성'과 밀랍의 부드러움, 그리고 투명한 효과가 나도록 표면처리를 한 작가의 놀라운 기교에 의해서 표현된 것이다.

미켈란젤로의 첫번째 로마 체류는 사 년 이상으로 연장된다. 그가 정치상황이 반전된 피렌체로 돌아온 것은 1501년 봄이었다. 사보나롤라의 처형 이후 피렌체에는 마키아벨리를 주요 협력자 중의 하나로 두고 집정관 피에로 소데리니가 지휘하고 있는 베네치아 공화정을 본뜬 과두정이 들어서게 된다. 피렌체의 역량있는 예술가들을 반도 내의 다른 도시국가로 이주시키려 했던 로렌초 데 메디치의 문화정책과는 반대로, 새 정부는 그들을 잡아 두고 국가와 새로운 공화정의 명성에 이바지할 중요한 일을 맡기고자 하였다.

미켈란젤로보다 앞서 피렌체로 돌아온 레오나르도 다 빈치는 산티시마 안눈치아타에 〈성모와 아기 예수와 산타 안나〉라는 종이그림을 전시했다. 바사리에 의하면 이 작품은 모든 창작인의 경탄을 불러일으켰을 뿐만 아니라 완성된 후에는 남녀노소를 불문하고 밤을 새워 온 민족의 존경을 자아낸 레오나르도 다 빈치의 기적을 지켜보러 왔다고 한다.

몇 년 사이에 레오나르도 다 빈치와 미켈란젤로의 작품은 피렌체 예술에 주요한 전기를 마련했고, 율리우

〈다윗〉

스 2세와 레오 10세 때의 로마 양식의 진화에 결정적인 영향을 미친다. 1504년말, 이번에는 라파엘로가 미술계에서 일어나고 있는 일들에 관한 소문에 이끌려 피렌체로 온다. 1501년 6월, 미켈란젤로는 피콜로미니 추기경으로부터 시에나의 성당 제단을 위한 열다섯 개의 조각을 주문받는다. 그러나 두 달 후, 아마도 피에로 소데리니의 개인적인 중개 덕택에 피렌체의 성당업무 담당위원회는 그에게 훨씬 더 중요한 임무를 맡긴다. 사십여 년 전 아고스티노 디 두치오가 초벌작업을 해놓은 거대한 대리석 덩어리에 〈다윗〉상을 조각하는 일이었다. 그 계획은 미켈란젤로의 마음을 사로잡는 것이었으므로, 그는 약 이 년 반만에 르네상스의 문화와 이상을 가장 잘 표현하고 있는 대표적인 작품 중의 하나를 창조해낸다.

도나텔로와 베로키오에 의한 전통적인 도상에 따르자면 〈다윗〉은 거인 골리앗의 횡포를 이겨내는 꿈 많은 청년으로 되어 있다. 그러나 미켈란젤로의 〈다윗〉은 반대로 긴장된 얼굴에 극도의 육체적, 정신적 집중을 드러내며 임전태세를 취하고 있는 자신감에 넘치는 젊은이다. 숨김없고 기력이 넘친다는 점에 있어서 이 성서의 인물은, 피렌체에서 시민정신의 상징이 된 헤라클레스를 연상시킨다. 이 조각은 정열의 완벽한 통제와 힘이 병행하는 르네상스적 인간의 이상을 구현한다. 그리고 그것은 또한 국가방위가 용병대에 맡겨지지 않도록 시민군 창설을 권고한, 마키아벨리가 생각했던 '시민병'의 공화주의적, 인문주의적 개념과도 걸맞는 것이었다.

〈다윗〉상의 정치적, 이상적 차원은 미켈란젤로의 동시대 사람들에 의해서 명백히 받아들여졌다. 그들은 그 작품을 공화주의적 자유의 상징으로서 산타 마리아 델 피오레 성당이 아닌 시뇨리아 광장의 베키오 궁 앞에 놓아 두기로 결정했다.

1503년에 피렌체의 공화정부는 레오나르도 다 빈치와 미켈란젤로에게 베키오 궁의 대형 회의실에다가 밀라노와 피사에 승리한 피렌체를 보여주는 벽화를 그리라는 임무를 맡긴다. 〈안기아리의 전투〉와 〈카시나

의 전투〉가 그것이다. 우여곡절 끝에 이 거대한 두 벽화는 완성되지 못한다. 그러나 그 세부를 그린 수많은 데생과 밑그림은 경쟁을 벌인 이 두 예술가의 지칠 줄 모르는 열의와 그들의 목적과 다양한 재능을 잘 보여주고 있다.

레오나르도의 작품 한복판에는 군기를 중심으로 말과 기사들이 얽혀 있는 모습이 돌풍 속에 광란하는 군사들처럼, 혹은 감히 저항할 수 없는 소용돌이처럼 그려져 있다. 그는 병사들의 움직임과 태도의 격렬함으로 해서, 스스로 전쟁의 '야만적 광기'라 정의한 것이 일으킨 격동을 표현한 것이다. 미켈란젤로의 작품은 빌라니의 『연대기』에 나오는 일화에서 암시를 받은 것으로, 아르노 강에서 목욕하고 있다가 적군이 다가온다는 경보에 허겁지겁 옷을 입고 무기를 집어드는 피렌체 군인들을 그린 것이다. 이 일화는 그가 인물들을 엉뚱하고 난폭한 나체 상태로 표현할 수 있도록 하는 구실이 되어 준다. 그렇게 해서 그는 자신의 완벽한 해부학적 지식과 더불어 밀도있는 표현을 자유자재로 구사할 수 있는 능력을 보여준 것이다. 피렌체 미술가들에게 움직이고 있는 인간의 모습을 표현한 뛰어난 본보기로서 열성적인 연구의 대상이 되었던 이 밑그림은 훼손되고 파괴되었다. 현재 남아 있는 몇몇 데생과 스케치들만이 미켈란젤로의 방대한 계획을 엿볼 수 있게 해 준다.

다 윗〉의 성공으로 미켈란젤로의 명성은 굳어졌고 공적인 주문 이외에도 개인들의 주문이 쇄도했다. 몇 년에 걸쳐서 피렌체 시의회는 피에르 드 로랑 원수에게 바치기 위해 미켈란젤로에게 청동으로 〈다윗〉상―오늘날에는 찾아볼 수 없다―을 제작해 줄 것을 부탁했으며, 성당측에서는 그에게 대리석으로 열두 제자의 동상을 조각해 줄 것을 의뢰했다. 이 중 산 마테오 성당의 조각만이 초벌작업이 이루어진다. 플랑드르 상인들은 브뤼헤의 노트르담 성당을 위해 대리석으로 된 〈성모자상〉을 주문한다. 거기에 타데이와 피티 가문을 위해 두 개의 대리석 원형 부조(통도)와 아놀로 도니를 위한 또 하나의 원형 부조가 덧붙여진다. 조각된 두 개의

원형 부조에서는 레오나르도의 가장 독창적인 기법 가운데 하나인 원근법에 대한 미켈란젤로의 관심을 확인할 수 있다. 가벼운 칼자국 때문에 생긴 배경의 울퉁불퉁한 면은 구불구불한 윤곽에 의해 그 형체가 드러나고 가장 멀리 있는 물체가 어둠 속에서 밝은 전면으로 솟아나오는 듯한 인상을 준다. 〈도니의 원형 부조〉에서 미켈란젤로는 고대작품 못지않은 복합적인 구성 리듬을 갖추면서 성자들의 기념비적 성격을 강조한다. 따라서 그의 작품에는 역동성이 더해지고 프로필은 강인하게 새겨지며 명암에 있어서 빛의 집중도가 더해지게 된다.

미 켈란젤로는 1505년 3월 피렌체에서 그동안 열정적으로 해오던 활동을 갑자기 중단한다. 주문을 받았던 수많은 작품들을 미완성인 채로 남겨 두고―특히 〈카시나의 전투〉―그는 율리우스 2세의 초청을 받아 다시 로마로 간다. 바티칸 대성당의 연단에 있는 대주교에게 바쳐질 거대한 영묘를 세우는 일에 마음이 끌린 것이었다. 율리우스 2세의 교황 즉위(1503)는 처음부터 종교와 예술과 로마의 새로운 시대의 시작을 나타내는 것이었다. 식스투스 4세―율리우스 2세의 삼촌이었으며 미술의 정치적 의미와 가치에 대해 그와 의견을 같이 하는―의 제안의 연장선상에서 율리우스 2세는 단호하게 로마 교황청의 '복권'계획을 추진함으로써 로마 제국의 전통에 입각한 정치적 개혁의 서막을 알린다.

자신의 웅대한 계획을 가장 잘 따라줄 사람들을 선택한 데에서 증명된 교황의 직관력은, 예술가의 서열을 정하는 데에서도 유감없이 발휘된다. 그는 웅대한 자신의 구상을 실현시키기 위하여 브라만테, 미켈란젤로 그리고 라파엘로를 차례로 고용한다. 브라만테에게는 성 베드로 신성당의 건축과 벨베데레 궁의 방대한 계획과 함께 바티칸 궁전의 재편성을, 미켈란젤로에게는 바티칸의 묘지와 시스티나 예배당의 원형 천정의 장식을, 그리고 라파엘로에게는 스탄차의 벽화와 그 밖의 다른 집무실을 맡긴다.

미켈란젤로는 교황의 묘지를 만드는 일을 기꺼이 수락하고 적합한 대리석을 고르기 위하여 카라라 산에

〈카시나의 전투〉
(미켈란젤로의 밑그림을 아리스토텔레 다 산갈로가 모사한 작품)

11

서 일주일을 보낸다. 바사리에 의하면 이 유적은 '조각의 수나 장식의 풍요로움, 그리고 위엄이나 미적 가치 등 모든 면에서 고대 황제의 묘지를 통틀어도 유례를 찾기 힘들 만큼' 뛰어난 것이라고 한다. 오늘날 부오나로티의 구상을 가늠해 볼 수 있는 것은 바사리나 콘디비의 기록을 통해서일 뿐이다. 묘실 내부에 약 10.80미터×7.20미터의 사각형모양의 성소가 점점 낮아지는 삼 단계의 평면 위에 솟아 있다. 〈덕〉과 〈승리〉의 상으로 장식된 벽감은 가장 아래 부분에 〈노예〉상을 기대어 놓은 벽기둥과 번갈아 있다. 〈모세〉 〈성 바울〉 〈적극적인 삶〉 〈관조하는 삶〉 등의 네 개의 조각이 두번째 면을 차지하고 있고, 맨 꼭대기에는 바사리에 의하면 하늘과 땅을 의인화한 것이라는 두 천사가 교황의 주검이 놓일 묘소를 받치고 있다.

이렇게 고대 승전비의 모델 위에서 교황과 교회를 신격화하려 했던 미켈란젤로의 생각은 당시 아주 호평을 받고 있던 신플라톤주의 이념의 흔적을 지니고 있다.

이 유적의 상승적 동세는 이미지의 상징적 전진과 일치한다. 아래 부분의 〈노예〉와 〈승리〉에서 〈적극적인 삶〉과 〈관조하는 삶〉 그리고 서로가 '정면으로' 신의 모습을 보는 벼락맞은 듯한 경험을 한 〈모세〉와 〈성 바울〉의 조각, 그리고 그 위에 마침내 지상의 죽음에서 절정으로 재현된 영원한 삶으로의 '통로'가 마지막으로 놓인다. 이 묘지는 이런 식으로 고행과 덕의 실천, 그리고 내적 계시에 의한 물질과 육체로부터의 개인적 영혼의 해방을 표현한다.

미켈란젤로는 당시 교황이 모든 권력과 금력을 독점하고 있던 바티칸 성당의 재편성에 관해 브라만테와 의견이 달랐으므로 그의 구상은 한쪽으로 제쳐졌다.

깊은 상처를 입고 실망한 미켈란젤로는 새로 지을 성 베드로 신성당의 초석을 놓기 전날(1505년 4월 18일) 황급히 로마를 떠나 피렌체로 갔다. 교황은 사람을 보내어 그에게 돌아오라고 명령했지만 헛일이었다. 이렇게 해서 훗날 그가 '묘지의 비극'이라 부르게 되는 일이 시작된다. 미켈란젤로가 막 로마를 떠나려 할 때 율리우스 2세는 묘지 대신에 그에 못지않게 중대한 또다른 작업을 제의한다. 교황의 예배당 천정 장식을 맡긴 것이다. 이렇게 해서 교황은 자신의 선임자인

〈모세〉

식스투스 6세의 일을 계승하고자 하였다. 또한 그는 그렇게 함으로써 1504년에 벽을 축조하다가 천정에 생긴 깊은 균열과 그 때문에 일어난 골조를 강화시켜야 할 정도의 사고들로 인해 맨처음 장식―피에르 마테오 디 아멜리아가 그린 별이 있는 하늘―에 가해진 훼손을 치유하고자 했다.

피렌체로 망명한 후에 미켈란젤로는 오만하게 이 새로운 일을 거절했다. 그러나 교황도 만만하게 물러서지는 않았다. 그는 피렌체 시의회에 압력을 행사했고 칠 개월 후 그의 군대가 탈환한 볼로냐에서 율리우스 2세와 미켈란젤로 사이에 억지 화해가 이루어졌다. 미켈란젤로는 후일 이렇게 말했다. "사과를 하지 않았으면 나는 처형당했을 것이다."

볼로냐에서 미켈란젤로는 벤티볼리오 가의 복권 이후 1511년에 파괴된 산 페트로니오 성당 전면에 놓일 교황의 거대한 청동상을 주조하는 데 십오 개월을 보낸다. 피렌체로 돌아오자 그는 교황으로부터의 모든 압력에서 벗어나기를 희망했으나 허사였다. 결국 그는 다시 로마로 가서 시스티나 예배당의 원형 천정을 위한 작업을 시작한다. 애초의 계획대로라면 제자들은 작은 받침대 위에 그려졌어야 하고, 천정의 나머지 부분은 '고대풍'의 기하학적 모티프들로 단순하게 장식되었어야 할 것이다.

일단 예비습작을 마치고 나자 계획은 완전히 수정되고 훨씬 풍요롭고 복합적으로 되었다. 제자들은 일곱 명의 〈선지자들〉과 다섯 명의 〈무녀들〉로 대치되었다. 예언자들의 옥좌를 둘러싸고 있는 작은 기둥들이 떠받치고 있는 쇠시리장식은 홍예문의 정점 위로 길게 뻗어 있다. 그것은 〈기원〉 〈노아의 만취〉 〈빛과 어둠을 가르는 신〉 등 아홉 가지의 일화를 둘러싼 아치형의 건축골조에 의하여 세로로 분할된 중앙 공간의 경계를 정하면서 원형 천정 곡선의 약 삼분의 일을 차지하고 있다.

〈선지자들〉과 〈무녀들〉의 옥좌 윗 부분에서 가장 좁은 공간은, 밤나무 잎으로 만든 장식을 들고 있는 남성 누드(이그누디)―식스투스 4세와 율리우스 2세의

가문인 델라 로베레 가를 암시—와 성서의 일화를 나타내는 동메달들이 차지하고 있다.

열여섯 개의 천창과 그것들을 원형 천정으로 연결하는 홍예문에는 마태복음 전서에 열거되어 있는 〈예수의 선조〉 사십 세대가 재현되어 있다. 네 귀퉁이의 삼각홍예는 선택된 민족을 위한 기적—〈다윗과 골리앗〉, 〈주디트와 홀로페른〉, 〈사악한 뱀〉, 〈아담의 벌〉—을 그려보이고 있다. 미켈란젤로가 원형 천정에 그린 장면들의 구조적 분절은 도상의 복합성을 증명하고 있다. 또한 이 벽화 시리즈는 구성 요소들의 조응체계의 통합과 형식이나 의미 등 모든 면에서의 비할 데 없는 풍요성으로 인한 커다란 통일성을 갖추고 있다.

실물로 착각할 정도로 정밀하게 그린 부분들과 '고대풍'의 장식에서 영감을 얻은 모티프들을 연결시킴으로써, 미켈란젤로는 〈선지자들〉과 〈누드〉의 모습에 놀라운 입체감을 나타내고 있다. 또한 그림과 건축적 구조 사이의 관계에서 율리우스 2세의 무덤을 위해 창조해 낸 조형 요소들의 폭넓은 사용을 찾아볼 수 있다.

비평가들은 이 벽화 시리즈에 대하여 다양하고 더러는 모순적인 성화적 해석을 부여했다. 그러나 원형 천정의 중앙에 있는 〈창세기〉에서는 단순히 '역사적 사실'의 재현뿐만 아니라 예수가 행한 속죄를 예언적으로, 그것도 신·구약간에 유형적 일치에 입각해서 보여준다는 점에 있어서는 의견을 같이하고 있다. 이러한 해석은 예언자들—〈선지자들〉과 〈무녀들〉—이 도상과 형식의 총체적인 체계 속에서 중개 역할을 하는 위치에 놓임으로써 확인되는 듯하다.

시스티나 예배당에서 큰 종교행사가 있을 때 행해지는 설교는 고대문화에 대한 칭송의 형태였으며, 창조주로서의 신의 작품—그 절정은 자신의 모습을 닮은 인간을 창조하는 것이다—을 찬양하고, 예수의 강생을 인간의 죄를 사하기 위해서가 아니라 인간을 신성에 가까운 위엄으로 끌어올리는 창조의 완벽한 수행으로 보았다는 것을 안다면, 미켈란젤로가 그린 그림들이 당대 사람들에게 어떤 의미로 받아들여졌을까를 더 잘 이해할 수 있을 것이다.

미켈란젤로가 창조해낸 인간 육체의 아름다움, 특히 〈아담의 창조〉와 〈누드〉에 대한 서사적 찬양이 의미를 갖는 것은 이러한 시각에서이다.

1508년 7월, 미켈란젤로는 사다리를 놓고 원형 천정에 벽화를 그리기 시작한다. 다른 화가들이 피렌체에서 그를 도와주러 왔다. 그 중 프란체스코 그라나치, 쥘리아노 부지아르디니, 아리스토텔레 다 산갈로는 입구에서부터 시작해서 세 개의 벽화—〈홍수〉〈노아의 만취〉〈노아의 제물〉—에 자신들의 스타일을 남긴다. 미켈란젤로가 준비했던 밑그림은 사포로 닦아낸 겉칠 위에 면밀하게 옮겨졌다. 그리고 최근의 보수과정에서 마른 뒤에 수정 보완작업을 한 흔적이 수없이 많이 나타났다. 그 후 미켈란젤로는 자신의 기대에 부응하지 못하는 다른 화가들을 모두 내보내고 거의 혼자서 작업을 추진했으며, 1510년 8월말까지 쉬지 않고 그림을 그려 원형 천정의 절반 가량을 벽화로 뒤덮는다. 측면의 내벽을 이루는 천창에 그림을 그릴 때에는 훨씬 수월해져서 그는 밑그림 없이 놀라운 속도로—삼 일이면 천창 하나가 완성되었다—일을 해 나갔으며, 예비 데생에서 직접 벽 위의 도면으로 옮겨 갔다.

일단 원형 천정의 절반을 그리고 나서 작업은 약 일 년간 중단되었다. 율리우스 2세는 프랑스 왕에 반대하는 운동에 가담하여 로마에서 멀리 떨어져 있었고, 작업을 계속하기에는 기금이 모자랐다. 이렇게 제작된 벽화는 1511년 8월 15일에야 교황에게 '발견'될 수 있었다. 교황은 몸소 성모의 승천을 기리는 미사와 저녁 기도에 참석중이었다. "새로 개막된 그 벽화들을 보면서 우리는 거기에서 그것이 신앙으로 이루어진 것임을 봅니다"라고 다소 농담조로 말하면서 파리스 데 그라시스 제사장은 그 벽화를 가리켰다.

그는 다시 한번 발판을 쌓고 원형 천정의 전체 장식을 다음 해 10월에 끝낸다. 사 년 이상 지속된 작업 도중에 미켈란젤로의 표현방식은 두드러지게 발전한다. 초기 벽화들의 풍요로움은 좀더 과장없이 절도있게 다듬어진 스타일로 변모하고 인물들의 중요성이 더욱 부가되며, 그들의 육체적 정신적 활기가 두드러진다. 기법은 더욱 빠르고 확실해지며 색조의 혼합과 단일성이 더욱 확장된다. 최근의 벽화 청소작업을 통해서 그간 미처 발견하지 못했던 색채학적인 치밀함과 풍부

〈엘레아자르와 마탄〉

함이 드러났다. 〈선지자들〉〈무녀들〉〈누드〉 등이 미켈
란젤로의 부조에 대한 취향을 확인시켜 주었다면 다른
부분들, 특히 천창과 홍예문 부분에서 그는 확실히
회화적인 기법을 사용하고 있다. 어두운 색에서 밝은
색으로 옮겨가며, 엷고 맑은 색깔로 넓은 면을 칠하
고, 인물들에 가서는 흐릿한 효과를 내는 변화있는
색채들과 짙은 색들을 사용했다.

〈리비아의 무녀〉(부분)

시스티나 예배당 벽화를 통해서 부오나로티는 르네
상스의 조형언어에 있어서 진정한 변혁을 일으킨다.
그리고 그 영향은 곧 수많은 이탈리아의 유명한 화가들
의 작품에 반영된다. 그러나 미켈란젤로는 자신의 작품
이 일으키는 반향에 대하여 별다른 관심을 표명하지
않았다. 아버지에게 보내는 짤막한 편지에서 그는 작업
이 마무리되었다는 것과 교황이 만족한다는 것을 간단히
알리고, 돌아가 '묘지'의 일을 할 수 없음을 애통해하며
이렇게 말하고 있다. "그것은 우리의 예술에 역행하는
시대의 탓입니다."

그의 승리감은 무엇보다도 그의 상상력을 불태웠던
작품을 포기해야만 하는 회한에 의해 빛을 잃은 듯했
다. 게다가 그는 거대한 고독과 피로와 중압감에 시달리
고 있었다. 그것은 그가 시스티나 예배당의 천정에 매달
려서 보낸 사 년 동안 친지들에게 보낸 편지에 잘 나타
나 있다. "나는 여기서 엄청난 불안과 극도의 육체적
피로에 싸여 있다. 친구라고는 한 명도 없고 또 원하지도
않는다. 하지만 지겹지는 않다. 나는 더이상은 한치도
견딜 수 없을 것 같기 때문이다."

율리우스 2세의 죽음으로 인해 미켈란젤로는 로마사
회에서 더욱 멀어진다. 그와 교황 사이의 관계가 순탄
치 못했음에도 불구하고, 이념과 기질에 있어서는 깊은
유사성이 존재했기 때문이다.

신임 교황 레오 10세─지오반니 데 메디치, 로렌초의
아들─는 호전적이며 '근엄했던' 전임자와는 아주 다른
성격이었다. 외교적 수완이 능하고 세련된 그는 자연히
예배의식에 호사를 부리게 되었다. 통치 초기부터 그는
공식적으로 자신을 평화의 수호자이며 기독교세계의
상처를 치료하는 '의사'로 내세우기를 좋아했다.

〈원죄〉(부분)

그는 어린 시절부터 미켈란젤로를 알고 있었지만 그보다
는 자신의 취향에 더 가까운 라파엘로를 선호했다.

시스티나 예배당의 성공에도 불구하고 미켈란젤로는
교황청 내의 새로운 관심거리들에 대해서 점점 더 이질
감을 느꼈다. 그는 외따로 떨어져서 교황이 남겨 준 돈으
로 1513년 5월의 계약에 기초하여, 여러가지 면에서
이전의 것보다 훨씬 더 웅대한 계획을 세워 '율리우스
2세의 무덤'을 위한 작업에 다시 착수한다. 1516년 그는
〈모세〉와 두 개의 노예상 〈죽어가는 노예〉와 〈반항하는
노예〉를 제작한다. 이들은 시스티나 예배당의 〈선지자
들〉이나 〈누드〉와 마찬가지로 신성한 영감의 작용과
육체적 아름다움을 입증해 주는 것들이다. 어울리지
않게 〈죽어가는 노예〉라는 제목이 붙은 작품은, 사실상
힘겨움 때문에 쏟아지는 잠에서 벗어나기 위한 고통스러
운 몸부림을 표현하고 있다. 〈반항하는 노예〉와 〈모세〉
는 넘치는 육체적, 영적 에너지와 물질적, 정신적 속박
사이의 대조와 긴장에 역점을 두고 있다. 레오 10세가
미켈란젤로에게 피렌체의 산 로렌초 성당의 정면을 증축
하는 작업을 맡기기로 결정했기 때문에 묘지의 일은
다시 한번 중단된다. "이렇게 해서 미켈란젤로는 또다시
묘지의 비극에 빠져들게 된다"라고 콘디비는 쓰고 있
다. 그러나 이번 비극은 거의 삼십 년이나 계속되어,
젊은 미켈란젤로의 상상력을 불살랐던 계획의 희미한
자취일 뿐인 빈콜리의 산 피에트로 무덤이 완성되는
1545년에야 그 끝을 맺게 된다. 사실 그가 1516년에서
1534년까지 피렌체에서 보낸 세월은 착수되지 못했거나
미완성인 채로 남아 있는 거창한 계획들로 점철되어
있다.

산 로렌초 성당의 정면을 위한 첫번째 습작들을
마치고 나서 미켈란젤로는 이렇게 말하며 자만을 숨기
지 않는다. "나의 의도는 이 작품을 건축으로서 그리고
조각으로서, 이탈리아 전체가 그것을 거울로 삼을 수
있도록 만드는 것이다."

실제로 이 일은 1520년 3월에 재정적인 이유 때문에
중단되었다. 교황이 생각을 바꿨기 때문이다. 산 로렌초
성당의 제의실과 메디치 가의 무덤, 그리고 라우렌치아

나 도서관은 미완성으로 남게 된다. 아버지의 사망 이후 그가 고향을 아주 떠나기로 결심했기 때문이다. 그것은 미켈란젤로의 생애에서 가장 고통스러운 시기였다. 1527년 로마의 약탈 이후 피렌체 공화정의 극적인 시기에 미켈란젤로는 메디치 가의 일을 그만두고 군사 건축을 맡아 경험을 쌓고 공화정부에 봉사한다.

1529년 1월 그는 '아홉 명의 의용대'의 일원으로 선출된다. 그리고 그해 4월 요새의 총독으로 임명된다. 눈 앞에 닥친 불가피한 함락, 그리고 그가 반역의 혐의를 받았다는 사실 때문에 그는 피렌체를 포기하고 베네치아로 향한다. 거기에서 그는 프랑스로 망명할 계획을 세운다. 그는 피렌체 정부로부터 반역죄로 추방당한 채 의혹 속에서 몹시 괴로워하다가, 11월말에 아홉 달 동안이나 교황과 황제의 군대에 저항을 계속하고 있는 피렌체로 돌아가기로 결심한다.

당시로서는 상당히 혁신적인 거의 동물모양을 한 요새들의 데생은 대부분 이 시기에 행해진다. 미켈란젤로는 단순한 요새라기보다는 '전쟁기계'라고 할 만한 구조를 만들어낸다. 1530년 8월 12일 마침내 피렌체가 수복된다. 미켈란젤로는 클레멘테 7세—그 역시 메디치 가의 일원이지만—의 주선으로 메디치 가의 보복을 피할 수 있기를 기다리며 할 수 없이 산 로렌초 성당의 수도원장 곁으로 피신한다.

브루넬레스키에 의해 약 백 년 전에 먼저 세워진 구제의실 맞은편에 있는 산 로렌초 성당의 오른쪽 날개에 있는 신제의실은 메디치 가의 장례를 지내기 위한 예배당으로 사용되었다. 그곳에는 '집정관'—네무르 공작과 우르비노 공작—외에도 '대공'인 로렌초와 쥘리아노가 레오 10세와 1523년에 클레멘테 7세라는 이름으로 교황에 즉위하게 되는 쥘리오 데 메디치와 나란히 안치되어 있다.

브루넬레스키의 작품과 비슷하게 설계된 신제의실 또한 골조로는 '청정한 돌'을 사용하고 있다. 그러나 미켈란젤로는 브루넬레스키가 맨 안쪽 벽을 높다랗게 세웠던 것을 옆으로 길게 펼치고 천창과 바닥 사이에 중이층을 끼워 넣음으로써 높이를 조정한다. 고전주의

풍의 격자천창으로 마감을 한 이 건축물은 그렇게 해서 한층 통일되고 압축된 리듬을 얻게 되고 위로 향하는 강한 도약을 느끼게 한다.

중앙에 놓인 별도의 기념비를 계획한 후—그렇게 해서 율리우스 2세 무덤의 애초 계획은 좀 축소되긴 했지만—부오나로티는 마침내 벽면 무덤이라는, 단순히 벽에 기대어 놓는 것이 아니라 골조 조직상 다이나믹한 긴장감을 유지하면서 벽과 통합시키는 방법을 찾아냈다.

상징적으로나 형태면에서나 대칭적, 대조적으로 고안된 〈밤〉과 〈낮〉, 〈새벽〉과 〈황혼〉은 '집정관'들의 석관 위를 장식하고 있다. 그것들은 석관을 깨고 고인들의 영혼을 해방시켜, 쥘리아노와 로렌초의 조각이 바라보고 있는 영원한 생명의 상징인 〈젖을 먹이는 성모〉의 묵상 속으로 다가갈 수 있게 해 줄 것만 같아 보인다. 이어서 미켈란젤로 자신은 장 바티스트 스트로치의 묘비명에 대한 화답으로, 〈밤〉과 관련하여 자신의 정치적 체험에서 비롯된 고통으로부터 최후의 피난처로서의 망각과 잠의 의미를 다음과 같이 설명한다.

〈밤〉(쥘리아노 데 메디치의 무덤)

"잠은 내게 돌의 존재보다 더욱 소중하다
저주와 수치가 계속되는 한,
아무 것도 보지 않고
아무 것도 느끼지 않는다는 것은
내게 커다란 행복이다
나를 깨우지 말아 주오,
제발 낮은 소리로들 이야기해 주오"

모퉁이에 대칭으로 균형있게 배치된 네 개의 문—두 개는 진짜, 두 개는 모양만—은 역설적으로 성당 내부를 생명이 끊어진 폐쇄된 공간으로 보이도록 강조하고 있다. 위에서 들어오는 빛은, 창문의 아래쪽 쇠시리장식이 안쪽보다 바깥쪽이 더 높기 때문에 독특한 효과를 나타내면서 묘지에까지 닿는다. 그 빛은 신플라톤주의의 테마를 통해 재현된 '부활의 드라마'를 보여주고 있다. 그것은 메디치 가의 수호자인 성자 코스마와

다미아노의 중개 덕분에 마치 삶이라는 생각의 관조, 성모와 고인들간의 말없는 대화와도 같아 보인다.

1534년 미켈란젤로는 작품을 미완성인 상태로 남겨둔 채 로마로 떠난다. 제단 맞은편 벽의 '대공들'의 묘지, '집정관'들의 무덤 아래에 조각하기로 했던 강물, 그리고 천창의 벽화와 청동부조 역시 작업이 진행되지 않았다. 또 메디치 가에서 수집한 원고들을 보관하기로 되어 있는 라우렌치아나 도서관 역시 미완성으로 남았다가 1524년부터 신제의실 작업과 병행해서 계속된다. '청정한 돌'의 섬세한 짜맞추기와 바닥과 천정의 대비로 잘 조직된 벽면의 온화하고 조화로운 리듬, 벽에 박아 넣은 한 쌍의 기둥, 그리고 쇠시리장식을 갖춘 부속실의 수직적 도약의 느낌과 생생한 콘트라스트가 눈에 띈다.

1558년이 되어서야 미켈란젤로는 처음에는 나무로 만들기로 했던 화려한 계단의 모형을 찰흙으로 만들어 로마로 보낸다. 이것은 훗날 코시모 1세의 요구에 따라 암만나티가 '청정한 돌'로 개작한다. 신제의실과 라우렌치아나 도서관은 미완성으로 남았음에도 불구하고 16세기 후반과 그 이후로도 계속해서 예술과 문화의 발달에 상당한 영향을 미쳤다. 특히 바사리는 이렇게 적고 있다. "미켈란젤로는 측량과 규칙, 질서에 있어서 보통 고대와 비트루비우스를 따르는 사람들이 하던 것과는 아주 다른 작품을 만들었다. 그는 이미 만들어진 것에다가 하나를 더 보태는 정도의 일은 원하지 않았기 때문이다. 그의 그러한 자유로움은 사람들로 하여금 그가 하는 방식을 모방하고자 하는 강한 욕구를 갖게 하였다." 그렇게 해서 그 당시에 통용되고 있던 방법의 '맥락과 사슬'을 끊을 수 있게 해 준 데 대하여 당대의 예술가들은 두고두고 그에게 크게 감사해했다.

건축구조상의 볼륨과 공간의 정의에 있어서까지 표현상의 새로운 긴장감의 유지에 도달하기 위하여 규범이 되었던 전통의 '맥락과 사슬'을 끊음으로써, 르네상스 언어의 고전적 구문 속에 도입된 '자유'는 고전주의 옹호자들이 미켈란젤로를 비난하는 첫번째 사유가 된다. 그러나 그것은 또한 17세기말과 18세기초 그의 예술을 재발견하는 데 결정적인 역할을 하기도 한다.

〈라우렌치아나 도서관의 계단〉

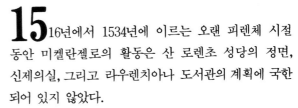

1516년에서 1534년에 이르는 오랜 피렌체 시절 동안 미켈란젤로의 활동은 산 로렌초 성당의 정면, 신제의실, 그리고 라우렌치아나 도서관의 계획에 국한되어 있지 않았다.

그는 로마 귀족 마텔로 바리를 위하여 산타 마리아 미네르바 성당의 감실에 놓인 〈부활한 예수〉의 '대리석상'을 제작한다.(1519-1521) 이 작품을 미켈란젤로의 다른 작품들과 비교해 보면 활력이 좀 모자람을 알 수 있는데, 이는 특히 작품의 끝맺음 부분이 제자들에 의해 이루어졌기 때문이다. 이 작품은 불완전했기 때문에 미켈란젤로가 직접 다시 작업을 했다. 바르겔로의 꿈꾸는 듯한 미완성품 〈다윗과 아폴론〉은 반대로 피렌체 몰락 이후의 것이며, 바치오 발로리를 위해 조각한 것이다.

회화에 있어서 미켈란젤로의 활동을 살펴보면, 알폰소 데스테를 위하여 그려졌으나 오늘날에는 찾아볼 수 없는 〈레다〉를 제외하고는, 라파엘로의 유일한 맞수였던 초인적인 힘을 지닌 세바스티아노 델 피옴보와의 공동작업의 형태로 남아 있다. 〈비테르보의 피에타〉(1516)에 관하여 바사리는 이미 다음과 같이 쓴 바 있다. "이 작품은 어두운 색조의 풍경이 있는 매우 값진 작품이며, 세바스티아노의 열의에 의해 완성되었지만 아이디어와 밑그림은 미켈란젤로에게서 나온 것이다." 그들의 공동작업은 데생과 아마도 몬토리오의 산 피에트로 성당에 있는 보르게리니 예배당의 그림들, 특히 세바스티아노가 쥘리오 데 메디치를 위해 그린 라파엘로의 〈예수 현성용화〉에 비견할 만한 〈나사로의 부활〉 등으로 이어진다.

1520년 라파엘로가 죽자 미켈란젤로의 주된 표적이 사라진 셈이므로 이들의 관계는 느슨해진다. 피렌체에 새로운 공화정이 들어서면서 '율리우스 2세의 무덤'을 위한 작업이 다시 시작된다. 미켈란젤로는 뱀처럼 온몸을 비틀고 있는 로마 부조의 야만인들을 연상시키는, 어떤 적을 물리치는 한 젊은이로 구현된 〈승리〉를 제작한다. 물질적이라기보다는 정신적인 무게에 짓눌린 것 같아 보이는 네 개의 〈노예〉상은 어떤 부분은 거의 완성되었고 어떤 부분은 겨우 초벌작업만 되어 있다. 바로 이 네 개의 조각이 완성 단계가 각각 다르다는 점은 다음과 같은 미켈란젤로의 기법을 추측할 수 있게 해 준다. 그는 돌덩이를 이쪽저쪽에서 깨나감으로써, 재료에서 군더더기를 제거하면서 조금씩 형태를 잡아나간다. 그러므로 이 조각가의 작품은 돌덩이를 '덜어냄으로써' 그 속에 담겨 있으되 갇혀 있던 돌의 내재적 형태를 해방시키고 발견해낸 것이다.

가장 훌륭한 예술가는
질료의 지나침에 의해 가두어진 것 같은,
그리고 이성에 순응하는 손만이
해방시킬 수 있는 그것,
돌 한 덩어리가 감추고 있는 형상을 제외하고는
아무런 아이디어도 가지고 있지 않다

미켈란젤로는 창작과정을 육체라는 감옥―'지상의 감옥'―으로부터 영혼을 해방시키는 정신적인 은유로 본다. 그래서 점점 더 그는 작품에다가 그의 불안과 고통을 투사하게 된다.

아직도 돌에 갇혀 있는 〈노예들〉의 형상은―〈산 마테오〉의 경우처럼―벗어나려는 절망적인 노력 속에서 구체적으로 질료의 무게와 저항에 대한 투쟁을 통해 그들의 의미를 표현한다. 이 조각들과 신체의실의 몇몇 미완성 작품에서 나타나는 특색은, 부활한 예수를 재현하는 몇몇 데생들에서 보여지는 미켈란젤로의 도형 양식과는 대조적이다. 죽음을 이겨낸 구세주의 헐벗은 모습은 선명한 윤곽과 명암의 섬세함을 통해 찬탄할 만한 운동감과 육체적인 미에 대한 대단한 배려를 보여 주고 있다. 이러한 정교한 수법은 바사리에 의하면 미켈란젤로가 그림을 배우려는 친구들에게 견본으로 사용하도록 주었다는 '교습용 데생'에도 나타난다.

이 그림들은 더러 현대비평가들에 의해 자발적인 면이 결핍되었으며 소위 불감증에 걸려 있다는 비난을 받았으나, 수많은 판화와 복제화가 증명하고 있듯이 동시대인들에게는 아주 우호적인 반응을 얻었고, 바사리는 이 그림들을 '신들린 거장의 솜씨'라고 말했다. 이 중에는 〈사수들〉이나 〈사색〉 등의 수수께끼 같은 작품 이외에도 〈가니메데우스〉―이 작품은 모사화만

남아 있다―〈티투스〉〈파에톤의 추락〉〈푸토의 주신제〉 등 토마소 카발리에리에게 선물한 신화적인 이야기를 재현한 작품들이 있다.

1532년에 미켈란젤로는 고대미술품의 열성적인 수집가인 교양있는 젊은 로마 귀족 토마소 카발리에리를 알게 된다. 그는 그에게서 미와 영성의 이상적인 구현을 찾고 그에게 열렬한 어조로 정신적 고행의 수단으로서의 미의 신플라톤주의적 개념을 표현하는 시와 편지들을 보낸다. 그리고 신화를 표현하고 있음에도 불구하고 그의 데생들은 그가 남성들의 육체에서 느끼고 있는 어쩔 수 없는 매력을 무의식적으로 드러내고 있다.

미켈란젤로의 예술과 개인의 이러한 면을 그 시대 사람들은 간과하지 않았으며, 이는 아레티노의 중상과 그에 대한 콘디비의 격렬한 반박의 근거가 되었다. "그는 예술가로서 인간 육체의 아름다움을 사랑했다. 솔직하지 못하고 호색적인 것밖에 모르는 몇몇 육욕적인 사람들은 그가 아름다움을 사랑한다는 것에 대해서 자연히 험담을 하게 되었다.… 그러나 나는 미켈란젤로와 오랫동안 친하게 지내왔으므로 그가 옳지 않은 말은 한마디도 입 밖에 내는 사람이 아니며 어설프거나 지나친 욕망을 절제할 줄 아는 사람임을 알고 있다. 그에게서 천한 욕망이라고는 흔적도 찾아볼 수가 없다. 그것은 그가 인간의 아름다움뿐만 아니라 아름다운 모든 것, 잘생긴 말, 예쁜 강아지, 멋진 풍경, 아름다운 나무, 아름다운 산, 아름다운 숲 등 자기 나름의 판단에 의한 아름다운 모든것을 사랑했다는 것에서 증명된다."

〈낮〉의 등과 왼팔을 위한 습작
(쥴리아노 데 메디치의 무덤)

미켈란젤로는 1532년 여름부터 1533년 여름까지 오랫동안 로마에 머물다가 라우렌치아나 도서관과 구제 의실의 작업을 끝내기 위해 피렌체로 돌아온다. 그가 로마를 떠나고 얼마 되지 않아서 클레멘테 7세는 시스티나 예배당의 내벽에다가 〈최후의 심판〉의 벽화 제작을 의뢰하고자 한다. 그해 9월, 니스로 가는 길에 미켈란젤로와 교황은 산 미니아토 알 테데스코에서 벽화

제작에 관해 이야기를 나눈다.

바사리와 콘디비의 증언에 따르면 미켈란젤로는 1532년 4월에 맺은 '무덤'을 위한 새로운 계약의 바탕 위에서 율리우스 2세의 상속인들과 한 약속을 지켜야 한다는 부담 때문에 이 새로운 계획을 처음에는 완강히 거절했다고 한다.

곧이어 미켈란젤로는 피렌체의 새 영주인 알렉산드로 데 메디치를 불신하게 되고, 동시에 피렌체의 여러 가지 일에 대한 싫증과 어려움에 부딪치게 된다. 1533년 10월부터 1534년 5월 사이에 로마로 간 부오나로티는 교황과 자신의 계약기간을 정한다. 그리고 2월 20일 곤자가의 사람이 와서 "교황이 조정을 아주 잘해서 제단 뒤의 장식벽은 이미 다 되었지만 제단 위에 부활의 그림과 예배당 장식을 미켈란젤로가 맡기로 했다"는 것을 전한다. '부활'이라는 용어는 여기서 '육체의 부활', 즉 〈최후의 심판〉에서 재현된 부활을 가리킨다.

〈성 바톨로매〉
(〈최후의 심판〉의 부분)

클레멘테 7세는 1534년 9월 25일, 미켈란젤로가 모든 약속에서 벗어나 자유로이 '무덤'의 작업을 하기로 하고 로마로 완전히 돌아온 이틀 뒤에 세상을 떠났다. 그의 기대는 다시 한번 무너진다. 오래 전부터 미켈란젤로의 열렬한 찬미자라고 자처해 온 파올로 파르네제, 즉 바오로 3세는 어떠한 변명도 용납하지 않고 작품을 실행시키고야 말겠다는 결심으로 그에게 임무를 맡긴다. "나는 이 소망을 삼십 년간이나 간직해 왔소. 이제 교황이 되었으니 꿈을 실현할 수 있지 않겠소."

그래서 미켈란젤로는 하는 수 없이 벽화의 예비작업에 착수한다. 이 일은 그가 마침내 발판을 놓고 그림을 그리기 시작하는 1536년 봄까지 계속된다.

처음에 부오나로티는 페루지노가 그린 〈성모승천〉—시스티나 예배당은 '성모승천'에 봉헌하기 위해 축조되었다—을 재현한 제단화와 안쪽 벽 위의 천창을 장식한 그림을 그대로 두려 했으나, 이 예배당의 역사상 클레멘테 7세의 계획은 그 파괴의 첫 단계였다. 식스투스 4세에서 율리우스 2세 그리고 레오 10세까지 약 사십 년 동안 교황청의 가장 호화로운 의식이 거행되던

이 예배당의 장식은 성상 제작의 차원에서, 공간의 구조적인 차원에서 아주 조화롭게 이어지고 있었다. 레오 10세의 요구에 따라 미켈란젤로가 원형 천정 위에 그린 벽화와 라파엘로의 밑그림을 바탕으로 하여 완성한 벽걸이 그림은 식스투스 4세 때의 독창성을 존중하면서도 성당 장식을 매우 훌륭하게 보충했다. 그러나 새로운 계획에 따라 내벽의 건축적 구조와 성당의 조명—내벽 위에 있던 두 개의 창문이 없어졌으므로—에 수정을 가한다. 이 시리즈의 첫번째 두 개의 일화인 모세와 예수의 일화는 초창기에 순교한 교황들의 모습과 확정 계획안에 들어 있던 페루지노의 제단 뒤 그림, 그리고 천창에 그려진 〈예수의 선조〉와 함께 사라졌다.

전체 도상은 거듭된 작업을 통해서 완벽하게 일관성을 지니게 되었고, 풍부한 이미지로서 르네상스시대의 로마의 이념과 신화를 표현하고 있었으나 이렇게 해서 훼손되고 일그러지게 된다. 이것이 어느 한 교황의 창안에 의해서, 그리고 교황청의 '개혁'이라는 신화적인 시대와 종교분쟁의 심화로 그 붕괴가 일어나는 극적인 시대를 모두 체험한 예술가에 의해서 이루어졌다는 것은 의미가 깊다. 왜냐하면 이제는 파괴되었으나 교황의 본거지이며 '세계의 중심'이었던 이 화려한 도시는 대부분의 기독교세계에 있어서는 '새로운 바빌론'이었기 때문이다.

클레멘테 7세가 〈최후의 심판〉과 같이 고뇌에 찬 암시를 담은 주제를 선택한 것은, 앙드레 샤스텔이 지적한 바와 같이 교황이 무의식적으로 '교황의 지위를 뒤흔드는 위기를 정확하게 예시하는' 작품을 찾으려 했다는 것을 보여준다.

예비데생과 스케치를 통해서 이 거대한 벽화에 얼마나 많은 공을 들였는지 찾아볼 수 있다. 미켈란젤로는 전 시대의 도상에 관한 연구에서 출발했지만, 얼마 지나지 않아 원경과 근경을 중첩시키는 전통구성법을 포기하고 군상, 즉 사람들의 자세와 운동성의 연계와 대립이 더 잘 드러나는 좀더 자유롭고 생동감있는 구조를 채택한다.

벽을 온통 뒤덮으면서—그 효과는 구획에 의해 생겨나는 리듬의 연속성을 끊는 것이다—미켈란젤로는 측벽들과 원형 천정을 문자 그대로 '도려낸다'. 그리고

와일드가 지적했듯이 예배당의 공간을 '우리와는 대립되는, 그 자체의 법칙에 의해 지배되는 세계로서의 제2의 현실'을 향하여 열어 나간다. 원근법이나 기하학적인 모든 요소들을 배제한 채 이 '제2의 현실'의 어마어마한 크기는 단축법과 원근법적 소실에 의해 강조되고 있다. 중앙에 위치한 심판관인 그리스도의 모습과 행동에 의해 유발되고 지배되어 깊고 넓게 전파되어 가는 듯한 움직임 속에 끌려가는 무리들간의 비례상의 대비도 이에 한 몫을 한다.

날개가 잘린 천사들은 맨 윗 벽면에 정녕의 악기를 들고 있다. 그들 역시 인간의 아들이 일으키는 성난 회오리 속으로 끌려가기 직전이다. 그것은 왼쪽 아래의 진흙더미 속에서 고통스럽게 몸을 떼어내며 자신들의 육신을 되찾은 다음, 위를 향해 도약하는 행복한 사람들로부터, 그 반대편의 지옥의 불길과 카론의 나룻배 속에서 아우성치고 있는 사람에 이르기까지 화면 전체를 지배하고 있는 소용돌이이다. 부오나로티의 작품에서 종종 볼 수 있는 태도, 가령 〈켄타우로스족의 전투〉에서의 중심인물이나 〈파에톤의 추락〉에서의 격노한 제우스와 같은 태도를 지닌 솟아오르는—오른쪽 팔이 들려 있다—예수의 위압적인 모습 옆에 성모가 그려져 있다.

예수와 성모의 모습 주위로 성자들과 족장들과 예언자들이 밀집해 있고, 그들의 표정과 몸짓은 커다란 혼란과 긴장을 자아내고 있다. 가장 행복한 자에게서까지도, 희귀한 환희와 평화 그리고 내면의 계시보다는 흥분과 불안이 더하다.

언제나 생생한 감정표현은, 육신의 광란적인 뒤얽힘 속에서 괴물들에 의해 지옥으로 끌려가면서도 육체적인 고통이 전혀 나타나지 않는 저주받은 무리들 사이에서 공포와 절망 주변을 맴돌고 있다. 여기서도 여전히 미켈란젤로는 도상의 전통에서 멀어지면서, 지옥에 떨어지는 것을 회한이라든가 절망, 영혼의 소멸이나 야만성의 구렁텅이로의 추락 등등, 내면적인 고통으로 이해하고 표현한다. 밀도있는 표현 외에도, 이 거대한 벽화의 구조적인 통일성은 생각지 못할 정도로 항상

보는 이를 놀라게 했다. 작품의 놀랄 만한 균질성을 강조한 바사리에서 시작해 보면, "이 굉장한 아름다움 말고도 이 작품은 너무나 한결같이 그려져 있어서 단 하루에 그린 것처럼 보인다. 결코 아무도 그렇게 그릴 수는 없었을 것이다. 그리고 인물의 수라든가 작품 규모나 그 성격 같은 것은 사실 뭐라고 말할 수 없을 정도이다. 그만큼 이 작품은 인간이 경험할 수 있는 모든 감정으로 가득 차 있고, 또 그 모든것이 훌륭하게 나타나 있다."

〈카론의 나룻배〉
(〈최후의 심판〉의 부분)

첫번째 불협화음과 비판은 이 벽화가 완성되어 공개되기 전인 1541년 제성절 전야에 일어난다. 이에 관해 바사리는 재미있는 일화—이는 다른 데서도 확인이 되는 이야기이다—를 남기고 있다. 매우 '정직한 사람'이며 교황청의 의전장이었던 비아지오 다 체제나에게 이 벽화에 대한 의견을 물었을 때 그는 이렇게 대답했다. "이처럼 신성한 장소에 조심성없이 치부를 드러내고 있는 누드를 이렇게 많이 그려 놓은 것은 온당치 못한 일이다. 이것은 교황의 예배당이 아니라 온천장이나 사악한 곳에 적합한 작품이다." 미켈란젤로는 그를 '악마들의 무리 한복판에서 커다란 뱀에게 다리를 휘감긴' 미노스의 형상으로 지옥 속에다 재현함으로써 복수를 한다. 그러나 사실 의전장의 이같은 말은 개인적인 의견이라기보다 교황청만 그 예외였을 뿐 당시 상당히 널리 퍼져 있던 생각을 대변한 것이었다.

1541년 11월 19일 〈최후의 심판〉의 개막식을 거행하기 몇 주 전, 세르니니는 곤자가 추기경에게 보내는 편지에서 이렇게 쓰고 있다. "추기경님, 작품의 미적 가치는 상상하시는 대로이지만, 위선자들은 이처럼 신성한 장소에 옮겨져 있는 나상들을 제일 먼저 볼 것입니다. 그것들은 신체의 어떤 부분들을 드러내고 있기 때문입니다. 어떤 사람들은 또 미켈란젤로가 예수의 수염을 그리지 않았기 때문에 너무 젊어 보여 위엄이 결여되어 있다고 말합니다. 이런 식으로 비난을 하는 사람들이 없지 않습니다. 그러나 코르나로 신부는 작품을 심사숙고한 후에, 만일 미켈란젤로가 이들 중에

〈부활한 사람들〉
(〈최후의 심판〉의 부분)

〈최후의 심판〉 베누스티

〈최후의 심판〉

서 단 한 인물만을 재현한 그림을 자기에게 준다면 그에게 그가 원하는 모든것을 다 주겠다고 말했습니다. 그가 그렇게 한 것은 옳은 일입니다. 왜냐하면 내가 보기에는 거기엔 다른 곳에서는 볼 수 없는 것들이 있기 때문입니다."

이 편지 속에는 미켈란젤로 당대의 사람들이 취하고 있는 서로 다른 태도들과 그 뒤 몇 십 년간 지속된 논쟁의 씨앗이 배태되어 있다. 가령 코르나로 같은 아마추어 예술가들의 솔직하고 열렬한 찬미가 있는가 하면, 음란하며 '위엄'과 '예절'이 결핍되어 있다는 비난도 있다.

아레티노의 편지로 인해(1545년 11월) 미켈란젤로 개인과 작품에 대한 공격은 절정에 달한다. 한편으로 그는 미켈란젤로가 '회화의 완성'을 보여주려는 유일한 욕망에 이끌려 추문을 전혀 개의치 않았다고 비난했으며, 다른 한편으로는 다음과 같이 말함으로써 음험하게 작품의 완전한 파괴를 요구하고 나섰다. "우리는 우리의 영혼이 데생의 활기보다는 신앙의 구원을 더 필요로 한다는 것을, 신이 교황으로 하여금 그레고리를 북돋아 성상 숭배가 사라지는 것을 보고 있느니보다는 차라리 로마를 장식하고 있던 우상들의 화려한 조각들을 없애 버리기를 택하도록 하리라는 것을 알고 있다." 그에 관한 비난은 외설 시비에서 이단에 대한 의혹으로 번져 갔다. 가장 교활하고 호전적인 적수들도 그 벽화에 대한 반대 입장을 취하고 있었다. 가령 저 유명한 도미니크 파의 사제인 암브로지오 폴리티와 지오반니 안드레아 질리오가 미켈란젤로의 사후에 출판한―그러나 그가 살아 있을 때부터 쓰고 있었다―『대화』속에 나오는 그에 대한 체계적이고 통렬한 공격이 그 좋은 예이다. 이러한 비난이 격렬하긴 했지만 바오로 3세나 그 후계자인 율리우스 3세에게는 아무런 영향도 미치치 못했다. 그러나 가장 완강하게 개혁을 반대한 사람 가운데 한 사람인 바오로 4세의 교황 즉위와 함께 상황은 악화된다. 작품을 '다시 손질'하라는 교황의 명령에 미켈란젤로는 다음과 같이 뼈있는 대답을 한다. "교황에게 작품을 다시 손질한다는 것은 특별한 일이 아니며, 쉽게 고칠 수 있다고 전하시오. 그리고 그림을 고치기가 그렇게 쉬우니 세상도 그렇게 고쳐 보시라고 전해 주시오."

그러나 시대가 바뀌고 교황 비오 4세는, 1564년 1월에 그 벽화를 '고칠 것'을 결정하고 다니엘레 다 볼테라에게 그 임무를 맡긴다. 그러나 그는 미켈란젤로의 열렬한 찬미자였으므로 피해를 최소한으로 막으려고 노력한다. 그러나 그런 중재역으로도 교황이 바뀔 때마다 있었던, 작품을 없애 버리자는 협박적인 논의를 피하게 할 수는 없었다. 도덕적 종교적 질서에 대한 비난뿐만 아니라 이제는―아레티노의 편지 이후―미켈란젤로의 예술은 '다양성'과 '균형' 그리고 '은총'의 결핍을 드러내며 단순히 해부학적 묘기를 과시한 것일 뿐이라는 작품의 형식면에 대한 비판이 더해진다. 곧이어 바사리가 나서서 적극적으로 부오나로티 작품 속의 인물들의 태도와 움직임의 의미와 표현적 가치를 각별하게 내세운다.

아주 열렬한 찬양과 마찬가지로 아주 극단적인 비난 역시 동시대인들이 미켈란젤로의 이 작품 앞에서 느끼는 불안과 당혹스러운 감정을 입증해 주는 것이다. 사실 그것은 그 이전의 작품들―메디치 가의 무덤을 위한 계획―에서 보여지는 질서와 균형 그리고 운동감과 인물들을 과도하게 재현하는 일 사이의 변증법적인 요소를 포기하면서 르네상스 예술의 본질적인 규칙을 뒤엎어 놓는다.

〈최후의 심판〉의 전체적인 구조와 인물들의 표정, 움직임, 몸짓의 체계적인 과장은 이 작품에다가 많은 사람들이 견딜 수 없어 하는 어둡고 극적인 성격을 부여한다. 그래서 작품의 깊은 의미를 이해하려는 일부의 노력은 균형과 정통성과 위엄이 결여되어 있으며, 외설적이라는 비난에 의해 중단되고 만다.

사실 미켈란젤로의 〈최후의 심판〉은 도덕과 지적 확신이 붕괴하는 것을 보며 고통받고 있는, 그리고 불안과 종말의 혼란 속에서 심판자이신 구세주 예수의 출현과 함께 정의가 부활한다는 약속이 실현되기를 기다리고 있는 신앙의 의미를 찾으려는 인간 영혼의 난파를 그린 것이다.

이 작품에서 미켈란젤로가 신앙으로써 모든것이 정당화된다는 프로테스탄트의 교리나 본래적 가치 추구라는 천주교의 교리에 대해 집착한 흔적이라든가 교황 청에 반대하는 논란의 구실을 찾으려고 해보아야 헛일 인 것이다.

미켈란젤로가 벽화 제작에 몰두해 있던 여러 해 동안 기독교세계에서는 수많은 종교적 분쟁과 분열이 일어났으나, 그때까지만 해도 회복될 조짐이 있어 보였 고 배척과 탄압의 어둡고 비극적인 시대는 시작되지 않았다. 친구들, 특히 비토리아 콜로나의 영향으로 미켈 란젤로는 교회 내부의 개혁운동에 가까이하게 되었다. 신교 개혁의 이념에 가까운 이 운동은 라티스보나의 회합(1541)에서의 결렬에 앞서 화해 무드를 조성하려 고 노력한다.

미켈란젤로의 시편들은 당시의 종교적 분열에 가담 하게 되는 자신의 혼란을 분명하게 보여주고 있다. 그는 점점 더 인간 본성의 연약함과 예술을 포함한 지상의 모든 일들이 '제2의 죽음'의 위협 앞에서는 허망 함을 인식하게 된다. 그는 더러는 어둡고 절망적인, 더러는 예수의 고통을 응시함으로써 나오는 고뇌에 찬 기원과 충동의 어조로 그것을 표현한다.

시에서 드러나는 죄의 강박관념에서 구원의 열망에 이르는 종교적인 불안은, 그가 자기 자신의 쓰라린 경험을 통하여 한 시대의 고뇌와 희망을 고스란히 재현 한 〈최후의 심판〉 속에서 더욱 보편적이고 드라마틱한 느낌을 갖게 한다.

미켈란젤로가 〈최후의 심판〉을 그리기 위하여 사용 했던 사다리는 바오로 3세가 그에게 새로운 일을 맡길 생각을 함으로써 가까스로 치워진다. 이미 앞에서 인용 한 편지에서 세르니니는 곤자가 추기경에게 〈최후의 심판〉에 대한 첫번째 반응을 얘기한 뒤에 이렇게 덧붙 이고 있다. "추기경께서는 그에게 다른 예배당의 벽화 를 또 그리게 하신다고 들었습니다만…" 문제의 다른 예배당은 교황이 바로 그 전에 젊은 안토니오 다 산갈 로에게 짓게 했던 파올리나 예배당을 말한다. 이 예배 당의 두 측벽 위에 벽화를 그리는 일은 '묘지의 비극' 을 마감하는 일을 다시 한번 거절하게 만든 것 같다. 이 시기에 쓰여진 부오나로티의 편지들은 단순히 율리

우스 2세의 무덤을 위한 새로운 계약을 지킬 수 없게 된 데서 오는 불안만으로는 설명되지 않는 고통과 번뇌 로 가득 차 있다.

1542년 10월, 교황의 재촉에도 불구하고 초벽이 다 마르지 않아서 그림을 시작할 수 없게 된 것을 한탄하 면서 미켈란젤로는 이렇게 쓰고 있다. "하지만 초벽보 다는 더 걱정스럽고, 그림을 그리는 것뿐만 아니라 내가 살아가는 일까지도 방해하는 또다른 것이 있습니 다. 그것은 약속된 특별 상여금을 받지 못하고 있다는 것입니다. 그래서 나는 크게 실망하고 있습니다.… 그림과 조각, 작업과 신앙은 나를 지치게 했고 게다가 모든것이 어긋나고 있습니다. 젊어서부터 성냥이나 만들 걸 그랬나봅니다. 그랬으면 이렇게 고통스럽지는 않았을 것입니다."

작업은 연장된다. 첫번째 벽화는 1545년 7월에야 끝이 난다. 두번째는 1546년 봄에 시작되어 교황이 죽기 몇 주 전에 그 예배당을 보러 왔던 1549년 10월까 지도 완성되지 않는다. 원래의 계획에 따르면 〈성 바울 의 개종〉과 맞은편 벽 위에 그려진 〈성 베드로에게 열쇠를 건네 주다〉가 쌍을 이루게 되어 있었으나, 후자 는 나중에 〈성 베드로의 수난〉으로 대치된다. 신교주의 자들과의 논쟁이 가장 치열했던 시기에 그의 이념적인 영향권 내에 있기는 했지만, 예수에 의한 베드로와 그의 후계자들의 권한부여라는 주제는 신앙의 깊이를 증거하는 성인박해의 재현으로 대치된다. 이 두 제자의 역사를 근접하게 만드는 매우 이례적인 이 일은, 기독 교의 지고한 미덕인 구원과 속죄의 희망인 '은총(바울 의 전락과 계시)'과 '신앙(베드로의 박해)'을 고양시키 는 것을 그 목적으로 하고 있다. 이 일을 하면서 미켈 란젤로는 폴레와 콘타리니 추기경을 중심으로 하고, 비토리아 콜로나도 가담한 '비테르보의 모임'을 중심으 로 결집되는 교회의 내부 개혁주의자들의 생각에 찬동 하게 된다.

이 두 벽화는 구성과 세부에 있어서 〈최후의 심판〉 의 몇몇 주제들을 다시 다루고 있다. 그래서 특히 공간 과 인물의 관계에 있어서 점점 더 르네상스 예술의

〈성 베드로의 수난〉

관례에서 멀어진다.

예배당의 대칭축에 대해 인물 위치가 어긋나 있는 것은 예배당이라는 관점의 선택과 일치한다. 이 예배당은 공식적인 행사용이 아니고 교황을 위한 것이기 때문이다. 파울리나 예배당의 벽화는 미사집전 사제를 위해서 기독교인의 삶의 본질적인 두 순간을 예시하고 있다. 즉 개종과 박해 그리고 '은총'과 '신앙'이 그것이다. 이 두 인물은 노인으로 재현되어 있다. 바울로 말하자면 '역사적 사실'에 비해 아주 자유롭게 그려져 있어서, 자연히 질리오 같은 사람의 비판을 받고 '오류'를 지적받게 된다. 그러나 이는 개종시에 그 이름을 따오면서 스스로를 성인과 동일시하고자 했던 늙은 교황의 마음에 드는 일이었다.

노년의 약 삼십 년간 미켈란젤로는 건축을 중심으로 작업한다. 그는 죽기 전에 주문을 맡았던 작품을 하나도 완성하지 못했지만—그래서 이것들은 모두 후세에 변질이 된다—16세기 후반의 조형미술에 결정적인 전기를 맞게 한다.

로마에서의 가장 큰 일 중에 아마도 1537년까지 거슬러 올라가는 가장 오래된 일은 주피터의 신전이 있는 시청을 정비하는 일이었다. 미켈란젤로의 계획은 도시조직 속에서 특별히 상징적, 이념적 의미를 갖추고 있고 전략적인 면을 강조한 비종교적인 건축의 원근법적인 구상을 보여준다. 마찬가지로 〈피아의 문〉에 관해 말하자면, 이것은 교황 비오 4세의 의도에 따라 베네치아 궁과 노멘타나 대로를 잇게 되는 간선도로의 맨 끝에 도시의 장식적 요소로 구상된 것이다.

1546년 안토니오 다 산갈로가 죽자 미켈란젤로는 파르네제 궁의 변조된 양식의 단조로움을 비트루비우스에게서 직접적인 영향을 받은 수직적인 요소들을 우선으로 하는 양식으로 대치하는 등 몇몇 부분을 수정함으로써 전임자의 작품을 완전히 변형시킨다.

위층의 장식이 아니라 건물 전체에 어울리게 고안된 대형 쇠시리장식의 설치, 주요한 층을 높이 쌓고, 넓은 가문(家紋) 위에 설치한 중앙창 등은 정면에 두드러지는 입체감과 수직적 도약의 느낌을 준다. 마당의 경우

에도 꽃줄과 귀면으로 장식된 띠벽과 특히 이층 창문에 부조감을 드러내는 규화로 된 아름다운 그림에 의해 산갈로의 계획은 재조정된다.

미켈란젤로의 계획에 따르면 파르네제 궁은 길이 사백 미터로 테베레 강 맞은편 연안, 캄포 데이 피오리에서부터는 파르네제 궁의 정원과 맞닿게 되어 있다.

종교적 건물들에 있어서는 산 지오반니 데이 피오렌티니 성당을 위한 집중적인 구조에 대한 습작을 꼽아야 할 것이고, 또 산타 마리아 델리 안젤리 예배당을 위해 디오클레치아노 공중목욕탕의 중앙홀을 본뜬 웅장한 정비계획을 들어야 할 것이다. 그러나 성 베드로 성당의 건축을 위한 일이 무엇보다도 미켈란젤로의 작업에서 주축을 이루고 있었다.

작업상의 책임을 맡자 부오나로티는 바오로 3세로부터 많은 권한을 부여받지만, 그는 모든 대가를 거절하고 오직 '신에 대한 사랑'만으로 일을 하고자 한다.

그와 산갈로의 제자들, 그리고 바사리가 경멸적으로 '산갈로 일당들'이라 명명한 자들과의 마찰은 곧 격렬하고 난폭해졌다. 그는 처음으로 공사장을 방문하자마자 선임자의 작품을 직설적으로 비판하며 이렇게 말했다. "그는 눈을 감고 일을 진행시킨 것 같아. 기둥이 겹쳐진 채 너무 많이 늘어서 있군. 돌출부와 뾰족탑이 너무 많아서 고대건축이나 현대의 조화롭고 아름다운 양식보다는 독일 스타일을 물려받은 모양이야."

미켈란젤로는 산갈로에 의해 변형된 부분을 비판한 반면, 브라만테가 했던 애초의 계획을 높이 평가한다. "브라만테가 고대로부터 오늘날에 이르기까지 그를 앞서간 수많은 건축가들만큼 능숙하다는 사실을 부정할 수가 없지요. 분명하고 깔끔하게, 그리고 전체 구조에 해가 될 만한 것이 아무 것도 없는 뛰어난 주변설계 등을 보면, 성 베드로 성당의 원래 계획을 만들어낸 것은 바로 이 사람이라는 것을 알 수 있지요. 분명히 사람들은 그것을 아름답다고 하기 때문에 브라만테가 원했던 질서에서 멀어지는 자는 누구나 진실에서 멀어지는 것이지요."

1546년 12월 찰흙모형을 만들고, 일 년 뒤에 나무로

더욱 자세한 모형을 완성한 부오나로티는 좀더 간단하고 통일성이 있게 모퉁이의 탑들과 네 개의 자그마한 십자가를 제거함으로써 브라만테의 계획으로의 복귀를 예고한다.

산갈로가 이루어 놓은 부분은 일부 파괴된 반면 대성당의 바깥 부분을 새로 올리는 일은 점차적으로 쿠폴라, 즉 둥근 지붕—이 모형은 1558년에서 1561년 사이에 보리수나무로 제작된다—의 형태에 접근해 간다.

이후에 이 건축물에 가해진 변화와 수정에도 불구하고 바티칸의 정원에서 대성당을 바라보면 미켈란젤로 계획의 독창적이고 정열적인 면을 아직도 확인할 수 있다. 그래서 긴장된 골조를 통해서, 그리고 다락방의 거대한 양식에서부터 원통형 석재와 둥근 지붕에 이르기까지 본질적으로 인간 형체를 닮은 미켈란젤로의 건축설계가 고스란히 드러나 있음을 발견할 수 있다. 이 건축물은 추상적인 비례가 아니라, 움직이는 동적이고 표정있는 인간 육체에 대한 이해에 바탕을 두고 있다. "이 건축물의 골조는 인간의 사지와 관계가 있는 것이 확실하다. 인간의 모습을 그려낼 줄 모르는 자, 해부학의 전문가가 아닌 자는 건축에 있어서 아무 것도 모른다."

미켈란젤로의 활동이 건축에 우선적으로 집중되면서, 동시에 시에 대한 그의 관심도 커져 간다. 젊은 시절부터 일시적이고 아마추어적인 수준으로나마 시를 써왔던 경험은, 로마의 지식인들과의 만남과 카발리에리와 비토리아 콜로나의 영향으로 점점 더 풍요로워지고 커다란 비중으로 자리잡게 된다.

1546년경 그의 친구인 리치오와 지아노티의 권유에 못이겨 그는 그들과 공동으로 시선집 출간을 준비한다. 그는 이 시기에, 구조 자체가 언어의 꾸밈이 많고 주제의 조응과 대립에서 빚어지는 다양한 리듬으로 좀더 자유롭고 유연한 유희를 허락하는 짧은 마드리갈 연시형식을 특히 많이 사용한다. 주로 열렬하면서도 아이러니컬하고, 초연한 척하면서도 드라마틱한 성격을 작품에 부여하는 '사랑과 죽음'이라는 주제의 변주에 대한 것들이다.

매우 아름답고 온정이 가득한 여인이
내게 약속을 한다
너무 늦었고 나는 너무 늙어 버렸지만
그녀를 바라볼 때면
나는 예전의 자신을 느낀다
그러나 나의 고통스런 시선과
그녀의 연민에 가득 찬 시선 사이에
질투많은 배신자, 죽음이
자리잡으려 함에
나는 짧은 시간을 불살라야 한다
죽음의 얼굴을 잊어야 한다
나의 기억이 돌아오기를
그리하여
그 잔혹한 차가움이 내 따뜻한 불꽃을
꺼주기를

〈성 베드로 성당의 둥근 지붕〉

말년의 시에서는 마드리갈과는 달리 이미 부오나로티의 초기 작품들에 등장했던 종교적 주제들이 지배적이 된다.

「나는 여기, 골수처럼 갇혀서 산다」라는 작품에서 미켈란젤로는 그 전의 작품들에서 이미 사용한 바 있는 익살스러운 주제들을 다시 다루는데, 그러나 이번에는 바로 자신의 처지인 인간 조건의 비참함을 표현하는 데에 필요한 초연함을 얻기 위해서였다.

사랑, 꽃이 핀 동굴, 뮤즈, 내가 노래하거나
긁어댄 것들은 탬버린이나 휴지 조각,
여인숙의 사창가나 뒷간 같은 것들이 되었다

무엇 때문에 이 많은 꼭두각시들을
만들어낸단 말인가
그런 다음 나는 아무런 장애도 없이
바다를 건너고 이어서
오물 속에 허우적거리는 자와
같아지는 것을

높이 평가받는 나의 예술, 한때 내게

커다란 존경을 가져다 주고
마침내는 나를 늙고 비참한 타인의 노예로
되돌려 버린 나의 예술

나는 곧 지쳐 쓰러지지 않으면 파멸되고 말 것이다
(피에르 레이리스의 번역)

그가 다른 작품들에서 더욱 직접적인 언어를 구사하며 정열적으로 표현했던, 구원의 문제를 마주하고 있는 예술가의 깊은 불안과 고초는, 희화화된 어조로도 잘 감춰지지 않는다.

아무 것도 엷은 맛의 그 신선함을
예감할 수 없을 것입니다
마지막 발걸음에는, 주여, 얼마나 많은 것들이
맛과 사랑과 욕망과 생각을 바꾸는지요

영혼은 얻는 것만큼이나
잘도 세상을 잃어버립니다
예술과 죽음은 서투르게도 함께 걸어갑니다
(피에르 레이리스의 번역)

콘디비에 의하면, 미켈란젤로는 비토리아 콜로나의 요청에 따라 〈십자가에서 내려진 벌거벗은 예수〉와 〈십자가에 매달린 예수의 데생〉(그러나 일반적으로 볼 수 있는 죽음의 모습을 지닌 것이 아니라, 얼굴을 들고 아버지를 올려다보는 신의 아들의 모습을 한 예수의 데생)을 제작한다.

이 두 작품은 명상과 정신집중의 아주 구체적인 몇 가지 실제에 부합하는 것으로 보인다. 이 작품들에는 '교습용 데생'의 수법으로 제작된 여러가지 목탄화가 있다. 〈피에타〉에서는 성모의 얼굴 뒤에서 단테의 다음과 같은 구절을 읽을 수 있다. "사람들은 이것이 얼마나 많은 생명의 대가로 이루어진 것인지를 알지 못한다."

비토리아 콜로나가 죽은 후 '성모와 성 요한 사이에서 십자가에 못박히신 예수'의 주제가 연필화나 목탄화에 다시 나타난다. 이들은 해부학적인 세부사항을 명시하기보다는 구세주의 정열 앞에 선 인물들의 고통을 아주 섬세하게 표현하는 데 더 집착하고 있다.

부오나로티의 마지막 조각들도 이와같은 시기에 속한다. 이들은 바티칸의 〈피에타〉와 같은 젊은 시절의 작품과는 아주 다른 형태로, 죽어 있는 예수를 애도하는 주제를 보여주고 있다. 미켈란젤로가 1552년에서 1553년 사이에 제작한 피렌체 성당의 〈피에타〉에서는 성모와 막달라 마리아가 예수의 버려진 몸의 양 끝을 받쳐들고 있고, 전체적으로 피라미드형 구조를 이루며 다른 인물을 압도하는 모습을 한 니고데모가 가운데를 떠받치고 있다.

콘디비의 말에 따르면, 미켈란젤로는 자신을 위하여 자신이 묻힐 '어떤 성당의 제단 발치에 놓게 할' 작정으로 이 작품을 조각하기 시작했다고 한다. 그러나 작품이 한창 되어가고 있을 때, 그는 망치로 이 작품을 부수어 예수의 팔 하나와 왼쪽 다리가 잘려 나가고 성모의 손 하나가 깨졌다고 한다. 이 행위에 대한 설명 가운데 어떤 것도 수긍이 가는 것은 없다. 아마도 자기 작품 앞에 선 작가의 치유불능의 불만족에서 다시 한번 그 이유를 찾아야 할 것 같다. 미켈란젤로가 그의 조수인 우르비노에게 주었던 〈피에타〉는 이어서 티베리오 칼카니에 의해 서투르게 개작된다. 그리하여 막달라 마리아의 모습은 다른 세 인물과 같은 밀도있는 모습을 나타내지 못하고, 특히 성모와 그 아들이 서로에게 얼굴을 가까이 하고 있는 모습은 미완성으로 남아 있다.

미켈란젤로는 성모와 예수만으로 이루어진 또 하나의 〈피에타〉를 1554년 이전에 시작한 듯 하지만 이것 역시 미완성으로 남아 있다. 바사리에 의하면 그의 친구들은 미켈란젤로가 죽기 몇 달 전부터 '그가 끌을 놀리면서 시간을 보낼 수 있도록' 손 안에 대리석한 조각을 쥐어 주었다고 한다.

완전히 힘을 잃지는 않았으므로 그는 매일매일 조각을 계속해 나갔다. 그와 같은 시대를 살았던 어떤 사람은 "그는 웅크리고 머리를 힘들여서 일으켰지만 집에 있을 때에는 계속 끌질을 했다"라고 적고 있다.

〈론다니니의 피에타〉의 첫 작품에는, 앞 부분에 널브러져 있는 예수의 버려진 몸과 그를 받아 안으려고 하는 성모의 수직적인 형태가 대조를 이루고 있다. 아마도 몇 년 후에 전체를 다시 조정하면서 미켈란젤로는 작품을 완전히 변형시켰을 것이다. 이미 조각된 예수의 얼굴과 흉상은 없어졌으나 두 다리와 왼쪽 위의 팔 한 조각은 보존된다. 이 두 인물의 상체 부분은 애초에 성모의 몸에 쓰일 예정이었던 대리석 조각에 새겨진다. 그래서 이 두 인물이 고통과 죽음을 넘어서 떨어질 수 없이 결합되어 서로를 파고드는 것 같은 효과를 낸다. 육체의 무게에서 해방된 비물질적인 이미지에 주어진 상승리듬에 의해, 표면이 빛을 발하는 치밀한 진동이 스며든 듯한 방식으로 처리됨으로써 이 효과는 강조되고 있다.

십자가에 못박힌 예수를 재현하는 이후의 데생들에서처럼 형식적인 미에 대한 배려는 사라지고, 이미지는 어떻게 보면 예수의 고통에 대한 깊고 지속적인 동조와 내면적인 비전의 직접적인 투사가 된다.

마지막까지 미켈란젤로는 작업을 계속한다. 바사리에게 보낸 한 편지에서 다니엘레 다 볼테라는 이렇게 쓰고 있다. "그는 토요일 하루종일 일을 했고, 일요일에는 그날이 일요일인 줄도 모르고 작업을 하러 가려다가 안토니오가 그걸 일깨워 주자 그제서야 알았다. 그리고 월요일에 병이 났다." 그 며칠 후인 1564년 2월 18일, 미켈란젤로는 거의 아흔이 다 되어 마르셀 데 코르비의 자기 집에서 세상을 떠났다.

피에르뤼지 데 베키

〈성모와 성 요한 사이에서
십자가에 못박히신 예수〉

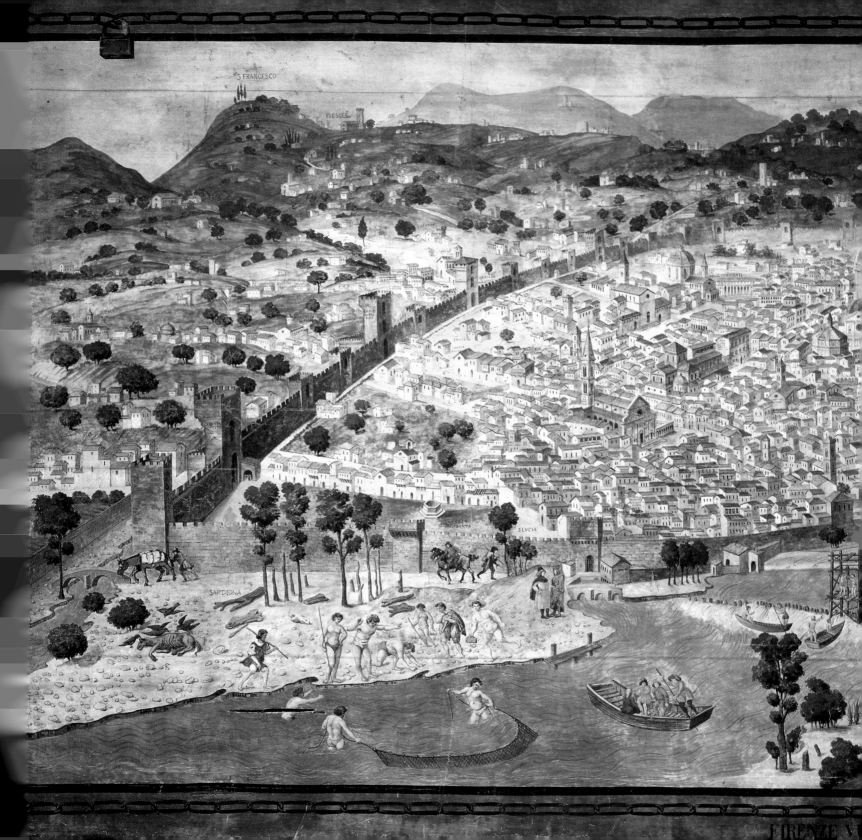

FIORENZA

ANNO 1490

기를란다요의 화실

화가, 건축가 그리고 조각가로서 미켈란젤로의 재능은 일반적으로 그의 행운에 도움이 되었다. 그와 동시대를 살았던 전기작가인 지오르지오 바사리와 아스카니오 콘디비—그는 미켈란젤로의 제자였다—는 둘 다 이 예술가의 별자리점에 의한 운명을 중시했다. 1568년 바사리는 다음과 같은 사실을 환기시키고 있다. "비너스를 이은 메르쿠리우스는 주피터 신전의 좋은 운을 내리는 별자리에 그를 받아들였다. 이는 손재주에서 나오는 놀랍고도 기적적인 작품들을 예고하는 것이다." 이 일화에서 주목할 것은 미켈란젤로의 예외적인 재능이 그의 동시대에 즉각적으로 받아들여졌다는 점일 것이다.

미켈란젤로는, 1475년 3월 6일 아레초 근방의 작은 마을 카프레세에서 구엘파 당에 가담하고 있는 피렌체의 오래된 가문인 부오나로티 시모니 가의 다섯 형제 중 둘째로 태어났다. 부오나로티 일가는 카프레세와 키우시의 행정관을 맡고 있던 아버지의 임기가 끝나자 피렌체 부근의 세티냐노의 한 저택에 다시 정착한다.

그의 전기를 쓴 작가들에 따르면 그는 아주 어려서부터 데생에 흥미를 나타냈으나, 가문에서는 그를 문필가로 만들고자 했기 때문에 인문학자였던 프란체스코 갈라타 우르비노에게 문법수업을 받게 했다. 그러나 그는 몰래 그림연습을 했다고 한다. 그보다 몇 살 위인 화가 프란체스코 그라나치와의 만남은 그의 사춘기에 결정적인 영향을 미친다. 그역시 기를란다요의 화실에서 그림공부를 하고 있던 그라나치는 이내 미켈란젤로의 재능을 알아보고는 그에게 그림을 그리도록 부추긴다. 그래서 미켈란젤로의 아버지는 열세 살 난 자기 아들을 이 유명한 화가의 화실에 맡긴다. 미켈란젤로가 자신의 데뷔시절의 진정한 스승으로 여긴 사람들은 그의 초기 데생들이 증명하듯 지오토, 마사치오, 도나텔로와 같은 콰트로첸토(이탈리아의 15세기 미술)의 미술가들이다. 한 해가 지나자 그는 기를란다요의 화실을 떠나 산 마르코 박물관으로 가서 거기에 있는 고대 조각들을 보고 그림을 그린다.

1.
도메니코 기를란다요는 벽화 속에 피렌체인들의 일상적인 삶을 성스러운 장면으로 재현해 놓았다. 〈세례 요한의 탄생〉이라는 이 작품의 배경은 궁전이며 인물들은 당대의 복장을 하고 있다. 도메니코가 훌륭한 화가였던 것은 사실이지만 바사리가 말했듯이 '미켈란젤로는 그보다 더 많은 것을 알고 있다'는 것을 쉽게 알아차렸어야 했다. 하지만 미켈란젤로가 벽화기법을 배울 수 있었던 것은 이 스승에게서였다.

2.
이 작품은 작가가 젊은 시절에 그린 소묘 중 가장 잘 된 작품의 하나로 꼽히며, 전면의 인물에게만 공을 들인 것이 특징적이다. 미켈란젤로가 형태의 조형적 연구에 대해 가졌던 관심은 조각가로서의 재능을 예고한다.

3.
이 두 인물의 습작은 지오토의 벽화 〈복음을 전하는 요한의 승천〉(산타 크로체에 있는 페루치 성당)에서 끌어온 것이다. 더욱 완전하게 묘사된 전면의 인물은 원화와 다른 몇 가지 변화를 보여준다. 십자형으로 교차되고 있는 가느다란 선들은 기를란다요 식인 당대의 소묘들에서 따온 것이다.

앞 페이지들 :
〈피렌체 전경〉 일명 〈드 라 카테나〉 S. 부온시뇨리. 코메라 박물관, 피렌체.

1. 〈세례 요한의 탄생〉 1485-1490. 도메니코 기를란다요. 프레스코. 산타 마리아 노벨라 성당, 피렌체.

2. 〈세 사람〉(마사치오의 작품에서?), 1490년경. 펜과 잉크. 29×19.7cm. 알베르티나 그래픽스 콜렉션, 빈.

3. 〈지오토의 그림을 본떠 그린 두 사람〉 1490년경. 첨필로 눌러 그린 위에 펜과 잉크(2색). 31.5×20.5cm. 루브르 박물관 데생전시실, 파리.

앞 페이지 :
이 그림은 르네상스의 요람격이었던 도시를 보여준다. 아르노 북부에는 브루넬레스키가 지은 대성당의 둥근 지붕이 솟아 있고 성곽으로 둘러싸인 고도가 보인다. 아르노 남쪽에는 피티 궁, 산타 마리아 델 카르미네, 그리고 성벽으로 둘러싸인 1172년의 변두리 지역이 보인다.

바사리의 말이 사실이라면, 미켈란젤로가 아주 어린 나이에 처음으로 돌깨는 작업을 보게 된 것은 세티냐노에서이다. 그의 아버지가 선택한 유모가 석공의 부인이었기 때문이다. 바사리는 이 점에 관하여 미켈란젤로의 글귀를 인용하고 있다. "지오르지오, 내 영혼에 뭔가 좋은 것이 담겨 있다면, 그건 내가 당신들의 고장인 아레초의 섬세한 분위기 속에서 태어났기 때문이오. 마치 유모의 젖에서 내가 지금 조각하는 데 사용하는 돌덩어리와 끌을 끌어내

1.
로렌초 대공은 젊은 예술가들과 예술에 관한 담론을 즐겼다. 여기에 재현된 일화는 바사리가 소개한 것이다. "미켈란젤로는 '웃고 있는, 코가 깨진 주름투성이의 고대 반수신'의 두상을 대리석에 옮기면서, 입을 파고 혀와 이를 드러나게 했다. 로렌초는 그에게 늙은이들의 이가 고스란히 남아 있는 경우는 없다고 지적해 주었다. 미켈란젤로는 군주에 대한 경의의 표시로 그가 떠나자마자 이 하나를 부수고 잇몸에 구멍을 냈다."

3.
매우 평평한 이 '부조'는 도나텔로의 부조를 환기시키고 있으며 젊은 조각가에 대한 그의 영향력을 보여주고 있다. 공간 전체를 거의 차지하면서 옆 모습을 보이고 앉아 있는 성모의 표현은 고대 묘비의 예술을 상기시킨다. 미켈란젤로가 아기 예수의 등과 팔의 돋을새김을 운동감있게 표현하기 위하여 얼마나 노력했는가를 알 수 있다.

기라도 한 듯이 말이오." 그가 조각가로서의 진정한 소명의식을 갖게 된 것은, 열다섯 살이 되던 해인 1489년에 피렌체를 통치하던 메디치 가의 로렌초 대공이 그에게 메디체오 극장 정원에 새로 들여 놓은 자신이 수집한 조각들―이 조각품들은 도나텔로의 옛 제자인 베르톨도 디 지오반니의 지휘 아래 배치되어 있었다―을 보여주며 연구를 하도록 하면서부터이다. 그 후 이 년 동안 미켈란젤로는 라르가 거리에 있던 메디치 궁에서 살게 되고, 거기서 로렌초가 가까이 하고 있던 인문학자들과 자주 만나게 된다. 폴리치아노, 란디노, 피코 델라 미란돌라, 마르실리오 피치노 등이 그들이다. 이 지식인들이 플라톤 아카데미를 구성했고, 그 임무는 라틴어로 번역된 고대의 원전들, 그 중에서도 특히 플라톤의 저서들을 대중화하는 일이었다. 미켈란젤로의 후견인이었던 로렌초 대공은 자신이 직접 시를 지을 정도로 예술에 대해 남다른 이해를 보인 인물이었는데, 미켈란젤로는 1492년 그가 죽기 전까지 교양과 특권을 누리는 환경 속에서 성장해 나간다. 그러므로 미켈란젤로 개인과 그의 작품이 얼마나 사랑과 조화의 신플라톤주의적인 개념에 오래도록 젖어 있었는가를 확인하는 일은 어렵지 않다.

1. 〈피렌체 화가들에 둘러싸인 로렌초 대공〉 1638-1642.
오타비오 반니니. 프레스코.
피티 궁의 아르젠티 실, 피렌체.

2. 〈헤롯의 축제〉 1435년경. 도나텔로.
대리석. 50×71cm.
순수미술관, 릴.

3. 〈계단 위의 성모 마리아〉 1490-1492년경.
대리석 저부조. 55.5×40cm.
카사 부오나로티, 피렌체.

2.
도나텔로의 이 '저부조'는 원래 메디치 가의 소유였으나, 미켈란젤로가 손님으로 머물게 되었을 때 메디치 궁에 놓이게 되었을 가능성이 높다. 거장의 솜씨로 행해진 생생한 인물표현(돋을새김과 공간 속으로의 통합에 있어서)에 덧붙여진 건축적 요소의 기하학적 구조와 원근법을 표현하려는 노력은 이 부조를 도나텔로의 진정한 걸작으로 만들고 있다.

바사리에 의하면 '유명한 시인'이었던 폴리치아노의 권유로 미켈란젤로는 로렌초 대공이 준 대리석 덩어리에 〈헤라클레스와 켄타우로스 족의 전투〉를 조각한다. 이 작품은 너무 잘 만들어져서, 바라보고 있노라면 청소년의 작품으로 여겨지지 않고 완숙미가 넘치는 훌륭한 거장이나 전문가의 작품으로 보인다. 작품 속에 재현된 일화는 아마 오비디우스의 서사시 『변형』에서 끌어온 켄타우로스 족의 유리치온이 히포다미를 유괴해 가는 장면인 듯하다. 미켈란젤로는 이 전투장면을 대장 주위로 여러 형태의 자세를 취하고 있는 병사들이 회전운동의 리듬을 만들어내며 켄타우로스 족과 라피드 족이 얽히고 설킨 보기드문 격전으로 구성해 놓고 있다. 이 신화적인 주제는 젊은 미켈란젤로가 싸우고 있는 전사들의 모습을 강한 근육 조직을 드러내며 움직이고 있는 나신들로 표현하려는 데에 좋은 구실이 되어 준다. 야만족과 로마인들의 전투를 묘사한 고대의 부조는 의심할 여지 없이 미켈란젤로에게 또다른 영감을 준다. 여기서 채택된 부조는 〈계단 위의 성모 마리아〉보다 더 도드라짐이 많게 새겨져 있으며, 연속된 세 장면을 보여주는 구성으로 되어 있으나, 이 조각가는 전면에 있는 인물들을 완전한 입체로 만들지는 않는다. 그들

1.
이 '고부조'의 동적인 요소, 구성상의 중심선은 나중에 〈최후의 심판〉과 같은 작품에서 다시 찾아볼 수 있다.

2.
기를란다요의 화실과 메디치 가에서 미켈란젤로의 동료였던 그라나치는 여기서 메디치 가의 욕된 사건을 재현하고 있다. 프랑스 국왕 샤를르 8세의 피렌체 입성은 십팔 년 동안 피렌체에서 추방당해야 했던 메디치 가의 몰락에 뒤이은 사건이었다.

3.
〈켄타우로스 족의 전투〉의 운동감은 움직이는 남자를 위한 이 습작에서 다시 나타난다. 미켈란젤로는 고대 석관의 부조 위에 표현되어 있는 헤라클레스에서 영감을 얻었다. 그는 이 습작을 〈카시나의 전투〉의 구상에서 목욕하는 병사들의 무리에 포함시킬 작정이었으나 그만두었다.

모두가 대리석 덩어리 속에서 아래쪽(발 부분)에 단단히 뿌리박혀 있기 때문이다. 이러한 기법은 기베르티가 피렌체에서 세례당의 문을 조각할 때 이미 여러 번 사용한 적이 있다. 로렌초 대공이 죽자 미켈란젤로는 다시 아버지의 집으로 돌아간다. 미켈란젤로가 지켜보았던 도미니크 파의 사제 사보나롤라의 포교활동은 피렌체에서 소요를 일으켰다. 더구나 샤를르 8세가 군대를 이끌고 입성할 것이라는 소식으로 인해 이 소요는 더욱 확산된다. 당황한 미켈란젤로는 1494년 10월 14일이 되기 전에 북이탈리아쪽으로 피신한다.

1. 〈켄타우로스 족과 라피드 족의 전투〉 1492. 대리석. 81×88.5cm. 카사 부오나로티, 피렌체.

2. 〈샤를르 8세의 피렌체 입성〉 1527년경. 프란체스코 그라나치. 패널에 유채. 75×122cm. 우피치 미술관, 피렌체.

3. 〈등 뒤에서 본 남성 누드〉 1504년경. 검은 돌로 그린 윤곽선 위에 펜과 잉크. 40.9×28.5cm. 카사 부오나로티, 피렌체.

미켈란젤로는 피렌체를 떠나 베네치아로 갔다가 거기서 볼로냐로 돌아가 약 일 년간 볼로냐 귀족인 지오반프란체스코 알도브란디의 환대를 받는다. 바사리는 이렇게 쓰고 있다. "어느날 알도브란디는 그를 어느 조각 공방으로 데려가 과거 여러 조각가들의 손을 거친 조각작품 〈성 도미니크의 성골함〉을 보여준다. 이 공방은, 13세기에는 니콜라 피사노가 사용했고 그 뒤 니콜로 델라르카(1469-1473)가 이어받은 곳이었다. 어쨌든 그 작품에는 촛대를 든 천사상과 성자 페트로니오에 해당할 형상이 누락되어 있었다." 그 빠진 부분들이 미켈란젤로에게 맡겨졌고 그는 결국 세 개의 조각을 제작한다.(바사리는 성자 프로콜로에 관해서는 언급하지 않았다) 이 세 개의 조각이 지니는 주변적인 성격은 예술가에게 거의 자유가 주어지지 않았다는 사실로써 설명될 수 있다. 그것은 사실상 니콜로 델라르카가 미완성인 채로 남겨 둔 무덤의 조각 장식을 완성하되 원작자의 스타일에 충실해야 하는 일이었다. 자코포 델라 케르치아와 니콜로 델라르카, 콰트로첸토의 이 두 조각의 거장이 가졌던 깊은 생각이 스무 살의 젊은 조각가에게 영향을 미치지 않을 수 없었다. 인물의 표정이나 옷의 주름을 나타내는 방법이 특히 그것을 드러내고 있었다. 니콜로의 정열적이고 의미심장한 몸짓은 훗날

시스티나 예배당의 장식 시리즈에서 다시 나타난다. 미켈란젤로는 틀림없이 니콜로가 볼로냐의 산타 마리아 델라 비타 성당을 위해 제작한 〈십자가를 내리다〉를 보고 매우 감탄했던 것 같다. 이 넓게 펼쳐지는 스타일은 그의 미래의 작품 속에 그 반향을 남기게 된다. 다시 한번 그의 전기작가 바사리와 콘디비에 따르면, 미켈란젤로는 지오반프란체스코 알도브란디의 숙객으로 있던 시절에 단테와 페트라르카 그리고 복카치오를 열심히 읽었다고 한다. 그 기억은 그 자신이 쓴 시의 여러 부분에 흔적을 남긴다. 몇 년 후에 쓰여진 그의 초기 시들은 특히 페트라르카의 영향을 반영하고 있다.

미켈란젤로는 1495년말에 다시 조용해진 피렌체로 돌아갈 결심을 한다. 그가 없는 동안 공화정이 들어서 있었다. 그런데 사보나롤라의 공화정은 단지 피렌체의 도덕적, 정치적 개혁에만 몰두해 있어서 예술쪽에는 거의 신경을 쓰지 않았다. 따라서 미켈란젤로는 아무런 작품 제작 주문도 받지 못했다. 그는 〈큐핏〉(〈세례 요한〉과 함께 피렌체 시절에 제작되었으나 오늘날에는 분실됨)을 로마 예술품을 취급하는 상인에게 팔았는데, 이 사람은 그것을 고대미술품이라고 속여 리아리오 추기경에게 다시 팔았다. 피렌체로 돌아온 뒤 여섯 달만에 그는 로마로 떠나 거기서 오 년 동안 머문다.

로마에서 그에게 처음 작품을 주문한 사람은 교황 알렉산드레 보르지아 6세가 아니고 리아리오 추기경과 은행가이며 수집가인 코보 갈리였다. 그가 고대적 영감으로 〈바커스〉를 제작하게 된 것은 고대미술품 수집가인 갈리를 위해서였다. 술의 신 바커스는 포도나무 가지와 머리를 둘러싸고 있는 포도송이에 의해서 그 특성이 살아나고 있다. 그는 한 송이의 포도를 훔치는 꼬마 사티로스를 대동하고 있으며, 그 뒤에는 사자(혹은 호랑이?)의 얼굴이 나타난다. 콘디비는 이것이 상징하는 바를 밝혀 주고 있다. "그의 (바커스

1. 2. 3 그리고 5.
고대 정원의 중앙에 놓일 예정이었던 〈바커스〉.

"이 조각에서는 여성적인 풍만함과 젊은 남자의 날씬함을 결합시킴으로써 오는 기막힌 융합이 있다."──바사리

의) 왼팔 위쪽은 호랑이의 가죽으로 되어 있는데, 이는 이 동물이 포도를 대단히 좋아한다는 이유로 신성시되었기 때문이다. 그러나 단지 그 가죽껍질만이 재현되어 있을 뿐이다. 미켈란젤로는 그렇게 함으로써 이 정념의 과일과 그것이 만들어내는 포도주의 노예가 되는 자는 생명을 잃게 되고 만다는 것을 나타내고자 했다." 미켈란젤로가 고대의 작품에서 영감을 얻은 것이 사실이기는 하지만, 그는 작품 전체에다 일정한 부드러움(즉 바커스의 취기)과 이미 바사리가 전기에서 언급했던 둥글둥글함을 더한다. 가능한 여러가지 시점에서 복합적으로 고안된 이 조각은 고대 정원에 놓일 예정이었으며, 그렇게 함으로써 이 작품은 어느 방향에서나 감상할 수 있게 된다.

4.
하를렘의 독창적인 화가인 마르텐 반 헴스케르크는 1532년에서 1536년까지 로마에 머물면서 이 작품이 보여주듯이 고대미술품과 미켈란젤로의 작품을 본뜬 그림을 그렸다. 헴스케르크는 고대 취미에 더욱 부합하기 위하여 바커스의 형상을 오른 손이 잘린 모습으로 재현해 놓고 있다.

1, 2, 3 그리고 5. 〈바커스〉 1496-1497.
연마한 대리석 받침대 포함한 높이 : 2.03 m.
바르젤로, 피렌체.

4. 〈고미술품이 늘어선 정원의 소묘〉
마르텐 반 헴스케르크.
쿠퍼스티히 콜렉션, 베를린.

피에타

〈바커스〉 이후 이번에는 프랑스의 장 빌레르드 라그롤라 추기경이 〈피에타〉제작을 주문해 왔다. 추기경과 미켈란젤로와의 제작 계약은 1498년 8월 27일에 이루어지고 다음 해에 완성이 된다. 드 라그롤라 추기경은 교황 알렉산드레 보르지아 6세 곁에 있던 프랑스 국왕의 특사였다. 이 조각품은 산 페트로니오 성당이나 프랑스 국왕 예배당을 장식하는 데에 쓰일 예정이었으나, 여러 차례 자리를 옮긴 후, 1749년에 이르러서는 성 베드로 성당의 중앙홀 오른쪽에서 첫번째 예배당에 놓이게 된다. 미켈란젤로의 전기를 쓴 작가들은 그 시대에 모든 사람이 찬미했던 것처럼 〈피에타〉의 아름다움을 칭송하고 있다. "이 작품은 아무리 뛰어난 조각가나 화가라도 그 우아한

1.
1542-1545년경에 베키오 궁 엘레오노르 드 톨레드 성당의 제단에 놓기 위해 브론치노가 제작한 〈십자가를 내리다〉는 이 작가가 얼마나 미켈란젤로의 인물상들을 연구하고 존경했는가를 나타내 준다. 게다가 굴곡많고 접혀진 예수의 몸의 선들은 피렌체에 풍미하기 시작하던 매너리즘 미학에 완전히 부합되는 것이다.

"몇몇 사람들은 그가 성모의 얼굴을 너무 젊게 만들었다며 어설프게 비난했다. 예수처럼 고통을 당해온 존재와는 반대로 오점없는 순결한 존재는 오랫동안 때묻지 않은 얼굴을 간직한다는 사실을 그들은 모르는가, 아니면 잊었는가?"
──바사리

데생에 아무 것도 더할 것이 없고, 그 섬세함에 필적할 만한 그림이 없으며, 미켈란젤로만한 예술성을 가지고 대리석을 다루어낼 수는 없다. 거기에는 예술의 위대함이 고루 갖추어져 있다." 미켈란젤로의 작품의 찬미자였던 바사리는 이 작품에 대해 이렇게 찬양하고 있는 것이다. 미켈란젤로가 영원한 미를 추구한 것은 사실이다. 그는 자연에서 출발했고, 또한 기를란다요의 화실에서 배운 대로 충실한 관찰에서 출발했지만, 미의 이상적인 기준을 만나기 위해 그것을 초월한다. 그리고 그렇게 해서 그는 "자연의 아름다움보다 우위에 있는 아름다움에 도달하게 되고 신플라톤주의자로 보이게 된다."(블런트) 미켈란젤로의 시편들은 이런 열망을 여러 차례 보여준다. 초기의 소네트 가운데 한 편에서 그는 '사랑의 신'에게 다음과 같이 요구하고 있다. "사랑이여, 제발 내게 말을 해 주오. 내 눈이 내가 열망하는 진정한 미를 보고 있는지를, 내가 눈길을 돌리는 곳에서 조각된 듯한 그 아름다움의 얼굴을 발견할 때, 나는 그것을 나의 내부에 간직하고 있는지를." 그리고 사랑은 이렇게 대답한다. "당신이 바라보고 있는 아름다움은

1. 〈십자가를 내리다〉 1542-1545년경. 브론치노. 나무판에 유채. 268×173cm. 순수미술관, 브장송.

2. 〈피에타〉 1499. 대리석. 높이 : 174cm, 받침대 포함한 높이 : 195cm. 성 베드로 성당, 바티칸.

3. 〈피에타〉(성모의 얼굴 부분) 성 베드로 성당, 바티칸.

2와 3.
미켈란젤로의 〈피에타〉는 그의 작품들 가운데 가장 '끝맺음이 잘 된' 작품이며, 라틴어로 그의 서명이 되어 있는 (성모가 가슴에 비스듬히 늘어뜨리고 있는 리본 위에) 유일한 작품이다. 이 두 얼굴의 부드러움과 섬세함에서 그 당시 그에게 영향을 미치고 있던 레오나르도의 예술을 생각하지 않을 수 없다. 옷의 주름이 우아하게 짜여져 있는 피라밋형 구도는 이 두 인물 사이에 흐르고 있는 최상의 조화의 표현이다.

그 모습 그대로의 것이다. 그러나 그것이 인간의 눈을 통해서 영혼을 향해 달려갈 때 미는 확대된다. 좀더 나은 곳으로 올라가기 때문이다. 그것이 신성하고 정직하고 아름다와지는 것은 거기(영혼 속)에서이다. 불멸의 영혼은 그 아름다움이 자신과 같아지기를 원하기 때문이다. 당신의 눈에 도달하는 것은 이 불멸의 아름다움이지 다른 것은 아니다." 〈피에타〉는 당시 겨우 스물네 살이었던 미켈란젤로에게 커다란 명성을 안겨 준다.

"…돌아가신 그리스도의 육신…
그 근육과 혈관과 신경이 골격과 어우러져
하나의 구조를 이루어내면서, 이토록 잘 묘사된
죽은 육신으로서의 나신을 우리는
도무지 상상할 수조차 없으리라." ──바사리

미켈란젤로가 포착한 연민을 나타내는 성모 혹은 〈피에타〉라는 도상의 유형은 이탈리아에 퍼지기 이전에 13, 14세기 프랑스와 독일에서 창조된 것이다. 그러므로 이 작품이 프랑스의 어느 추기경에 의해서 주문되었다는 사실은 무심히 보아넘길 일이 아니다.

그것은 예수가 십자가에 못박혀 돌아가신 후 어머니의 무릎에 안겨 있는 순간을 재현한 것이다. 15세기 이전에 예수는 오히려 어린아이의 키만하게 그려졌다. 이는 프란체스코 회의 신비주의적인 개념에 따른 것이다. 고통에 넋을 잃은 성모는 자신의 무릎 위에 수의에 싸여 있는 아들 예수를 재우고 있다는 환상에 젖어 있다. 미켈란젤로는 이 성상 제작을 위해 성모는 여전히 젊은 모습으로 그리면서, 예수를 성인으로 재현하는 방법을 채택했다. 성모는 일반적으로 홀로 나타났지만 엉게랑 카르통의 '피에타'에서처럼 성 요한과 막달라 마리아, 그리고 세 명의 서로 다른 마리아와 기도하는 사람들에게 둘러싸여 있는 모습으로 나타나는 수도 있었다. 두 인물로 이루어진 〈피에타〉라는 이 도상은 16세기에 가서는 브론치노의 그림이 명시하듯이 수많은 인물을 포함하는 〈십자가를 내리다〉와 혼동되기에 이른다.

1.
1444-1466년 프로방스의 활동적인 화가인 엉게랑 카르통의 것으로 전해지는 〈아비뇽의 피에타〉는 15세기 회화의 걸작 중의 하나이다. 제한된 금색의 배경으로 인해서 인물들은 종교적인 표현을 구가하는 사실주의의 흔적을 나타내고 있다. 간결한 화면은 인물들의 긴장된 표정과 성모와 그의 아들을 중심으로 모인 사람들을, 극적 묘사를 통해 강조하고 있다.

1. 〈아비뇽의 피에타〉 1455년경.
엉게랑 카르통.
캔버스에 유채. 163×218cm.
루브르 박물관, 파리.

2. 〈예수의 손〉〈피에타〉의 부분)
성 베드로 성당, 바티칸.

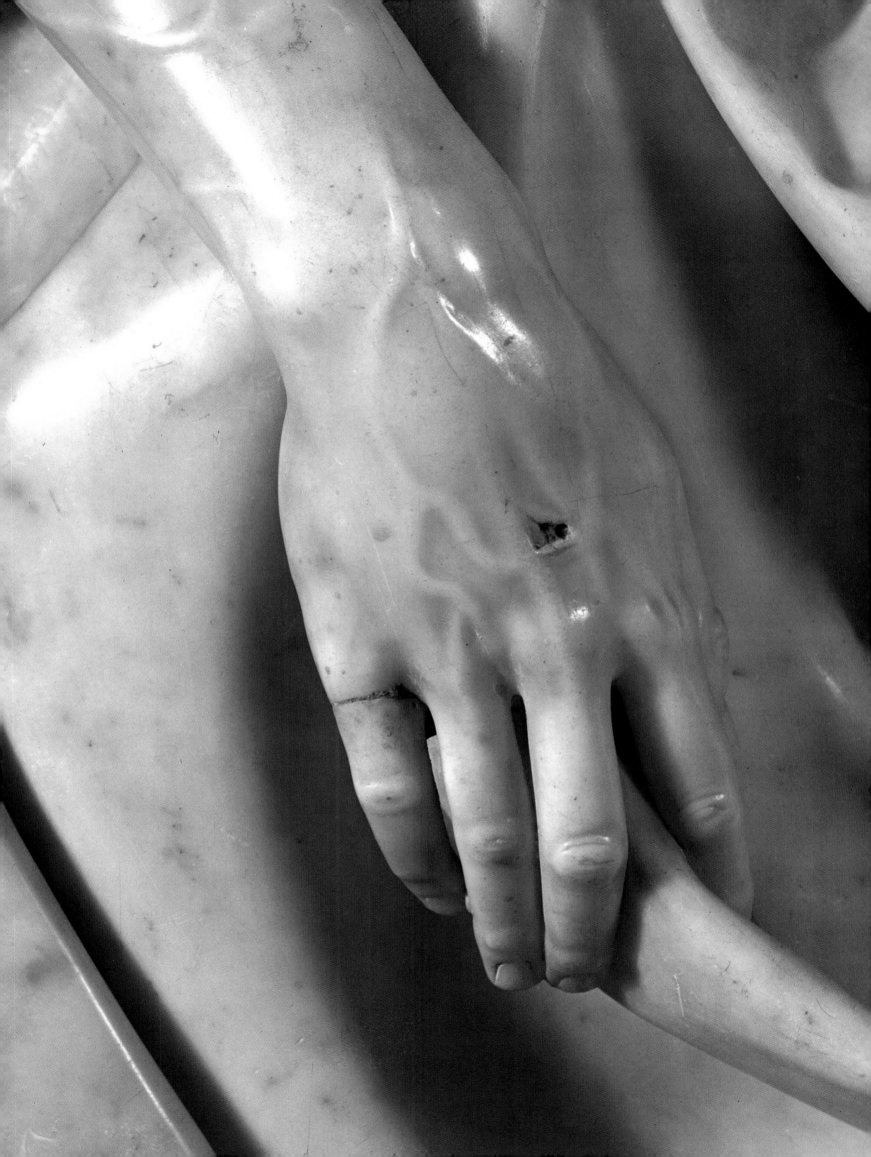

3.
라파엘로가 피렌체에
처음으로 머물게 되었을 때,
아마도 1504년 제막식 직후
그는 〈다윗〉상을 보고
이 습작을 남긴다.
우르비노의 거장이었던 그는
이 조각이 놓일 자리를 선택한
예술가위원회에 속해 있었다.

피렌체 공화정의 주문 : 〈다윗〉

1.
단호한 눈빛으로 비스듬히 바라보는
시선과 찌푸린 눈썹은 미켈란젤로의
예술에 있어 고유한 '비극적 장엄성'의
표현이며, 그가 조각을 완성함에 있어
심리적인 중요성을 더해 주고 있다.

2.
1485년경 기를란다요는
산타 트리니타에 있는
프란체스코 사세티 예배당의
벽화를 제작한다. 장면마다
실제의 피렌체를 그림으로써,
그는 이 도시의 전경들을
보여주고 있다. 〈성자 프란체스코가
제정한 질서의 규칙을 인정하는
교황 오노리우스 3세〉는
아르노 강변, 시뇨리아 광장이
그 배경이다. 왼쪽에는 베키오 궁,
그 앞에 〈다윗〉상이 놓이게 된다.
그리고 그 맞은편의 로지아 데이
란치는 당시에는 비어 있었고,
나중에 조각들로 채워지게 된다.

앞 페이지들 :
〈다윗〉(정면과 뒷면), 1501-1504.
대리석. 받침대 포함한 높이 : 434cm.
아카데미 미술관, 피렌체.

1. 〈다윗〉(정면에서 본 머리 부분)
아카데미 미술관, 피렌체.

2. 〈견진례〉(베키오 궁과 란치 발코니 부분), 1485년 이전.
기를란다요. 프레스코.
사세티 예배당, 산타 트리니타, 피렌체.

3. 〈등 뒤에서 본 다윗〉(미켈란젤로 작품의 모사), 1504-1508.
라파엘로. 검은 돌로 그린 윤곽선 위에 펜과 갈색 잉크.
39.3×21.9cm. 대영박물관, 런던.

미켈란젤로는 1501년에 피렌체로 돌아와, 약
사십 년 전인 1463년에 아고스티노 디 두치오가
손대다 만 대리석 덩어리를 맡는다. 미켈란젤로는
대성당 오페라의 소유인 이 거대한 대리석 덩어리를
오래전부터 탐내고 있었다. 바사리에 따르면, 성당측
에서 마침 그것을 완성할 사람을 찾고 있어 그가
자원했다고 한다. 1502년부터 메디치 가가 권좌에
복귀하는 1512년까지 피렌체 공화정의 영원한 기수
로 뽑혔던 피에로 소데리니가 이 일의 실현을 지켜보
았을 것이다. 1504년 4월에 완성된 이 조각은 시뇨리
아 궁 앞, 도나텔로의 〈주디트〉 자리에 놓이게 된
다. 미켈란젤로가 그 대리석 덩어리를 끌어안고, 오늘
날 우리가 아카데미 박물관에서 볼 수 있는, 걸작을
만들어냈던 그 거장다운 솜씨는, 피렌체인들의 찬탄
을 샀다. 〈다윗〉의 모습을 드러내기 위하여, 미켈란젤
로는 고대미술이 애호하던 '콘트라포스토(한쪽 다리
로만 몸무게를 지탱하고 있는 것)'를 다시 사용하고
있으며, 반면에 다윗이 휴식을 취하고 있는 만큼
(비록 당장이라도 반항하고 나설 것 같기는 하지만)
근육은 완화시키고 있다. 오른쪽 측면―조용하며
신성의 비호 아래에 있는―과 왼쪽 측면―중세에
행해지던 도덕적 구분을 따르면서 악의 힘에 노출되
어 있어 상처받기 쉬운―의 콘트라스트는 자주 논의
의 대상이 되어 왔다.(토르네) 미켈란젤로는 다윗을
정복자로 재현하지 않고, 특히 피렌체 공화정이 르네
상스의 시민적 미덕으로 강조했던 '힘'과 '분노'의
상징으로 재현해냄으로써 일대 혁신을 일으켰다.

헤라클레스와 카쿠스

몇 년 후인 1508년부터 피렌체 공화정은, 미켈란젤로에게 시뇨리아 궁 정문 앞 〈다윗〉상 옆에 놓이게 될 〈헤라클레스와 안테〉의 제작을 의뢰한다. 중세 이래로 헤라클레스는 사실상 피렌체의 수호성인이며 자유의 수호자로 여겨져왔다. 이 주문에 관해서는 몇 개의 데생과 〈헤라클레스와 카쿠스〉를 사실적으로 재현하여 흙으로 빚은, 별 특징이 없는 단편적인 상태의 습작 몇 점이 남아 있을 뿐이다. 미켈란젤로에 의하면, 조각은 조각할 만한 가치가 있는 유일한 재료인 대리석으로 제작하게 되어 있었다. 그의 소네트 중의 한 편에는 "훌륭한 예술가(자기 자신)는 대리석만의 고유한, 그리고 그 재료 자체에 갇혀 있는 정신을 지성의 명령에 따라 손을 움직여 해방시키려는 생각만을 가지고 있을 뿐이다"라고 적혀 있다. 그가 조각에 대하여 내리고 있는 정의는 1549년 바르키에게 보낸 편지에 나타나 있다. "나는 조각

> "조각은 덜어냄으로써 완성되는 것이라고 이해하고 있다. 덧붙임으로써 이루어지는 것은 회화에 가까워 보인다."

이란 제거함으로써 만들어지는 것이라고 본다. 덧붙임으로써 만들어지는 것은 그림과 유사해 보이기 때문이다." 〈헤라클레스와 카쿠스〉는 데생이나 흙으로 수많은 습작을 거친 후 좋은 생각이 떠오르자마자 대리석으로 조각을 하기 시작하는 미켈란젤로의 작업 방식을 이해하게 해 준다. 알베르티, 레오나르도, 그리고 뒤러에 의해 발달한 비례의 법칙들은 그의 관심을 거의 끌지 못했다. 그는 "일정한 규칙을 억지로 적용해서 말뚝처럼 규칙적인 인간의 형태를 만들어낼 수는 없다"고 생각했다.(콘디비)

1.
1494년 12월 피렌체에는 베네치아 의회를 모방한 거대한 의회가 사보나롤라의 제안에 의해 구성된다. 관습의 부패와 사치를 고발하고 엄격함과 간결함을 그의 이상으로 내세우며 책과 미술품을 제일 먼저 불태움으로써 그는 피렌체에서 일종의 도덕적 독재를 행사한다. 그러나 그는 알렉산드레 6세에 의해 파문당하고, 1498년 5월 화형에 처해진다.

2.
기를란다요는 산타 트리니타 광장의 1485년 모습 그대로를 최대한으로 상세하게 재현했다. 그리하여 그는 피렌체의 새로운 지형학적 구도를 보여준 셈이다. 왼쪽에 보이는 것이 스피니 궁, 그리고 맨 뒤에 보이는 것이 산타 트리니타 다리이다. 이 궁전을 따라 길게 놓여진 작은 돌벤치들은 산책과 한담을 즐기는 사람들에게 만남의 장소 구실을 했다.

---

1. 〈사보나롤라의 수난〉 1500년경. 작자 미상.
성 마가 박물관, 피렌체.

2. 〈어린이의 기적〉(스피니 궁과 산타 트리니타 다리 부분), 1485년 이전. 기를란다요. 프레스코.
사세티 예배당, 산타 트리니타, 피렌체.

3. 〈헤라클레스와 카쿠스〉 1528년경.
점토. 높이 : 41cm.
카사 부오나로티, 피렌체.

3.
이 조각은 5미터 높이의 거대한 대리석으로 제작될 예정이었다. 뒤늦게(1528) 만들어진 이 모형은 그 계획의 최종적 형태이다. 작품 제작은 반디넬리에게 맡겨졌고 그는 오늘날 시뇨리아 궁 앞에 있는 〈헤라클레스와 카쿠스〉를 한 덩어리로 제작한다.

브뤼헤의 성모

피렌체에서 1501년 봄에 레오나르도 다 빈치의 〈산타 안나와 세례 요한〉이라는 그림의 공식적인 전시회가 미켈란젤로의 귀향과 때를 맞추어 열린다. 미켈란젤로는 끌어안고 있는 육체들의 굴곡있는 구성에 매혹되어 데생 한 점을 그림으로써(현재 옥스포드 애쉬몰리안 박물관 소장) 자신과 동시대를 살았던 피렌체 최고의 화가를 향한 존경을 표시한다. 이 작품의 여운은 1501년에 시작하여 아마 1504년 이전에 완성이 되었을 브뤼헤의 〈성모자상〉에서 찾아볼 수 있다.

정면으로 그려진 성모는 〈피에타〉에서의 성모의 포즈를 그대로 취하고 있다. 이는 이 작품이 〈피에타〉가 완성된 지 얼마 되지 않아서 시작되었음을 확인시켜 주고 있다. 형언하기 어려운 미소를 지으며 레오나르도의 화풍으로 우아하게 고개를 숙인 모습은 다시 찾아볼 수 없다. 그 얼굴은 눈썹의 찌푸림과 뾰족하게 다문 입술, 그리고 살짝 앞으로 숙이고 있는 얼굴로 해서 신이 내려 주신 자신의 운명을 받아들이는 모습을 표현하고 있다. 아기 예수는 볼이 통통한 장난꾸러기의 모습을 하고 어머니의 손과 다리 위를 기어오르려 하는 것으로 묘사되어 있다. 하지만 성모와 그 아들 사이에는 사실상의 결속감은 엿보이지 않는다. 엄격하면서도 멀리 있는 듯한 성모는 자신만의 고독 속에 갇혀 있는 듯하다. 성모의 무릎 사이에 서 있는 아기 예수는 도상의 대단한 혁신이다. 라파엘로는 이를 간과하지 않고 여러 작품에서 그와 같은 식으로 재현했다. 뿐만 아니라 브뤼헤의 〈성모자상〉의 기념비적 성격은 그 이후에 그린 자신의 작품에도 영향을 미친다.

1.
〈성모와 방울새〉는
1506년에서 1507년 사이에
라파엘로가 피렌체에서 그렸다.
그 피라밋형의 구성은
레오나르도의 영향을 받은 듯하나,
어머니의 무릎 사이에 서 있는
아기 예수의 위치는 미켈란젤로의
브뤼헤의 〈성모자상〉의 영향을
받은 것이다. 이 얼굴들에서
풍겨나오는 부드러움은 레오나르도의
작품 속의 얼굴들을 생각나게 한다.

1. 〈성모와 방울새〉 1506년경. 라파엘로.
나무판에 유채. 107×77.2cm.
우피치 미술관, 피렌체.

2. 〈성모, 아기 예수, 산타 안나, 세례 요한〉 1498년경.
레오나르도 다 빈치. 목탄, 흰색으로 가필(밑그림). 141.5×104.6cm.
내셔널 갤러리, 런던.

3. 〈성모자상〉 1504년경. 대리석.
받침대 포함한 높이 : 128cm.
노트르담, 브뤼헤.

2.
이 밑그림은 레오나르도의
주요 작품 중에서 우리가 볼 수 있는
희귀한 작품 중의 하나이다.
채색된 작품(미완성)은
루브르 박물관에 소장되어 있다.
1500년이 채 못 되어 그려진
이 밑그림은 형태와 입체감의 교류에
대한 새로운 정의를 만들어내고 있다.
이 데생 — 피렌체에서 매우 중시되었던 — 은
바탕을 이루고 있는 확산된 광선에 의해
윤곽이 부드럽게 둘러싸여 있다.

3.
성모의 기법과 양식은 여전히
〈피에타〉의 성모에 가깝다.
미켈란젤로는 서 있는 아기 예수에
레오나르도적인 모티프를
다시 취하지만, 전통적인
양식과는 달리 아기 예수는
성모의 무릎 사이에 놓여진다.

원형 부조

"그는 대리석으로 두 개의 원형 부조를 만들기 시작했지만
미완성으로 남아 있다. 그 중 하나는 타데오 타데이를 위한 것으로
그의 집에 보관되어 있고, 나머지 하나는 바르톨로메오 피티를
위해 제작했으나, 우주의 형상을 연구하는 학자이며
미술애호가였던 그의 형 미니아토 피티 데 몬테 올리베토가
자기 친구 루이지 구치아르디니에게 선물했다.
이 작품들은 매우 뛰어난 것으로 평가받고 있다." ──바사리

1.
〈타데이의 원형 부조〉는
아기 예수에게 새 한 마리를
보여주고 있는 어린 성 요한의
모티프를 채택하고 있다.
아기 예수는 놀라서 어머니의
품 속으로 숨어든다. 그 움직임은,
여기서도 여전히 메데의 고대
석관의 아이들을 연상시킨다.
작품의 원형 제작은
〈피티의 원형 부조〉보다
더욱 완성도가 높다.
라파엘로의 데생들(우피치 미술관,
피렌체), 그리고 브리지워터의
마돈나(국립미술관, 에딘버러)에서
그가 성모와 예수의 이러한 수평적
구성을 연구했음을 보여준다.

50

2.
옆 모습을 보이며
돌덩이 위에 앉아 있는 성모는
먼 곳을 바라보며 고개를 돌린다.
그녀는 무엇을 바라보는가.
이마에 두르고 있는
'초월적인 앎의 재능'을 의미하는
지품(智品)의 천사 게루빔은
예언자적인 성격을
상징적으로 표현하고 있다.
그녀는 아기 예수를 천으로 감싸
보호하고 있는 것처럼 보인다.
아기 예수의 포즈는
석관 위에서 볼 수 있는
비탄의 모습을 본받은 것이다.
어린 요한은 얼굴만 부각되어 있다.
여기서 원형이라는 모양은
이 작품을 부조하는 데에
이상적인 형태로 보인다.

1. 〈성모와 아기 예수〉(타데오 타데이의 원형 부조),
1505-1506년경. 대리석 저부조.
직경 : 109㎝. 104×106.5㎝.
왕립미술아카데미, 런던.

2. 〈성모자와 어린 요한〉(B. 피티의 원형 부조), 1504-1505년경.
대리석 저부조. 직경 : 85.5×82㎝.
바르젤로, 피렌체.

1과 2.
도니 부부의 초상은
그들이 결혼한 지 약 두 해 만인
1506-1507년에 라파엘로가 그렸다.
아뇰로 도니는 상인이었으며,
그는 피렌체 공화정에서
수많은 중요한 역할을 맡았다.
그는 1504년, 열다섯 살의 마달레나
디 지오반니 스트로치와 결혼했다.

놀로 도니가 원형 그림을 하나 주문한 것은 바사리에 의해 확인된 사실이다. "그의 친구 피렌체 사람 아뇰로 도니는 고대와 현대의 미술품 애호가로, 미켈란젤로의 작품을 하나 갖고 싶어했으므로 그는 원형의 성모상 그림을 그리기로 작정했다." 조각이 된 액자는 1506년부터 1508년 무렵에 델타소 가의 공방에서 제작된 것으로 갈고리 모양의 무늬와 마달레나 스트로치 가의 문장을 담고 있다. 아뇰로와 마달레나의 결혼선물로 제작된 이 원형—르네상스의 특징적 형태—의 그림은 미켈란젤로가 직접 그린 것으로 알려져 있는 유일한 그림이다. 아뇰로 도니는 16세기초 피렌체의 매우 중요한 문예학술 후원자의 한 사람이었다. 그는 라파엘로와 프라 바르톨로메오, 그리고 물론 미켈란젤로를 일할 수 있게 해 주었을 뿐만 아니라 고대 예술품과 보석의 수집가였다. 이 현학적이고 수수께끼 같은 작품에 대해서는 수많은 분석과 해석이 있다. 브뤼헤의 〈성모자상〉보다도 더 기념비적인 성모는 무녀들의 출현을 예고하며, 고전적인 기준에도 전혀 부합하지 않는다. 요셉에게 아기를 건네 주는 어머니의 어깨 위의 아기 예수는 과거에 대한 새로운 원리의 승리를 상징한다. 예수는 더이상 장난꾸러기 아기가 아니라 이마에 머리띠를 두른 승리자의 모습으로 나타난다.(토르네) 뒷면의 두 그룹으로 나뉜 나신들의 무리는 모세의 율법 이전의 세계를 암시한다. 그리고 아기의 모습으로 표현된 성 요한은 구약시대에 속하지만 그리스도의 강생기를 재현하는 성가족을 향하고 있다. 차갑고 신선한 색채는 명암의 뚜렷한 대비가 없으며, 폰토르모, 롯소 그리고 브론치노의 밋밋한 색채를 예고한다.

"그림은 부조에 가까워질수록 점점 더 완벽해지고
부조는 그림에 가까워질수록 점점 더 나빠진다는 생각이 듭니다.
나는 조각이란 그림의 빛이며, 둘 사이에는 해와 달만큼이나
커다란 차이가 있다고 생각하곤 했습니다."
—1546년 로마에서 베네데토 바르키에게 보낸 편지 중에서

1. 〈아뇰로 도니의 초상〉 1506-1507년경. 라파엘로.
나무판에 유채. 65×45.7cm.
팔라티네 미술관, 피렌체.

2. 〈마달레나 도니의 초상〉 1506-1507년경. 라파엘로.
나무판에 유채. 65×45.8cm.
팔라티네 미술관, 피렌체.

3. 〈성 가족과 세례 요한〉(도니의 원형 부조), 1504.
둥근 패널에 템페라. 직경 : 91×80cm.
우피치 미술관, 피렌체.

4. 〈성 가족과 세례 요한〉(성모의 옷 부분)

3과 4.
전면에 모여 있는 인물들의
구불구불한 곡선은 성모의
오른쪽 발에서 출발하여
맨 윗 부분의 아기 예수에 이르기까지
피라밋형의 나선을 그리고 있다.
원형의 곡선 속에 그려진 배경의
나신들은 전면을 강조해 주고 있다.

베키오 궁을
위한 장식

피에로 소데리니는 1503년이 다 가기 전에 베키오 궁의 회의실을 장식하기 위하여 피렌체의 승리를 재현하는 벽화의 제작을 의뢰하기로 결심한다. 그래서 안기아리에서의 전투와 밀라노인에 대한 피렌체인의 승리라는 일화를 재현하는 벽화를 레오나르도 다 빈치에게 주문한다. 그러나 피렌체에서는 미켈란젤로의 명성이 날로 커져가고 있었으므로 피사의 전투, 혹은 1364년 카시나의 전투에서 피사군에 승리하는 피렌체군이라는 주제를 가진 벽화는 그에게 맡겨진다. 레오나르도와는 반대로 미켈란젤로는 전투의 순간 그 자체보다는 그 직전의 순간들을 더 중시했다. 너무 더워서 아르노 강에서 병사들이 목욕을 하고 있을 때 적의 공격을 알리는 경보가 울린다. 만노 도나티가 동료들에 둘러싸여 "우리는 졌다"라고 소리지르고 있는 이 일화는 필리포 빌라니가 쓴 『연대기』에 나타나 있는 것이다. 미켈란젤로는 1504년 12월에 밑그림을 그리기 시작하여 1506년 로마에서 돌아온 뒤, 다시 한번 수정을 가한다. 한편 레오나르도는 그 유명한 군기 쟁탈의 일화를 벽에 그려 놓고 나서, 1506년 5월에 작업을 포기했다. 이 두 화가의 유명한 밑그림들은 하나하나 모아졌으나 그 후에 분실되었다. 벽 위에 직접 그려진 밑그림들은 1557년 바사리의 벽화로 마감된다. 복제화만이─레오나르도의 것은 부분적이다─전체의 구성을 어림짐작할 수 있게 해 준다. 아리스토텔레 다 산갈로의 복제화는 바사리가 복제한 것을 한 눈으로 볼 수 있게 해 준다. "병사들이 물에서 나와 장비를 갖추려고 한다. 미켈란젤로의 절묘한 표현 속에서 병사들은 갑옷을 채우기도 하고 대부분이 무기를 찾아서 허둥대고 있는 것이 보인다.… 거기에서 그늘을 드리우기 위하여 머리에 월계관을 쓰고 있는 나이 많은 사람이 하나 있다. 그는 바지를 꿰어차기 위해 애를 쓰고 있지만 다리가 젖어서 잘 되지 않는다. 그는 병사들의 소요와 고함소리, 북소리 등을 듣고서 한쪽 신발을 허겁지겁 잡아당기고 있다."

1.
〈카시나의 전투〉의 밑그림을 부분적으로 묘사한 이 작품은 1542년 바사리의 부추김으로 아리스토텔레 다 산갈로가 제작한 것이다. 여기에 재현된 일화는 다시 한번 미켈란젤로에게 움직이고 있는 나체들을 재현할 구실이 되어 준다. "거기에는 서 있고, 무릎을 꿇고, 구부리고, 누워 있고, 일어서는 등 능숙한 단축법으로 수많은 자세의 인물들이 팽팽한 신경과 근육으로 묘사되어 있다."(바사리)

2.
루벤스는 1558년의 자키아의 판화를 본떠 작품을 그린 것 같다. 밑그림의 전체적인 데생이나 일화들을 참조할 만한 자료는 남아 있지 않다. 격랑에 싸인 중심부만 따로 남아 있고 전체적인 작품은 밑그림과 함께 분실되었다.

1. 〈카시나의 전투〉(미켈란젤로의 작품에서), 1542?
아리스토텔레 다 산갈로. 패널에 유채. 76.5×130㎝.
호크햄 홀, 노퍽.

2. 〈군기 쟁탈전〉(레오나르도 다 빈치의 작품에서)
루벤스. 45.2×63.7㎝.
루브르 박물관 데생전시실, 파리.

3. 〈남성 누드와 부분을 위한 두 개의 습작〉1504년경.
검은 돌로 그린 윤곽선 위에 가벼운 흰색 가필. 40.5×22.6㎝.
테일러 박물관, 하를렘.

3.
살아 있는 모델을 두고 그려진 이 습작은 밑그림에 나타난 최종적인 형태와 정확하게 일치하지는 않는다. 미켈란젤로가 두 팔의 자세를 수정했기 때문이다. 이 습작들은 밑그림이 시작되기 전에 물에서 나오는 병사들의 다양한 태도를 정하기 위하여 그려졌다.

바티칸의 시스티나 예배당

"미켈란젤로는 스물아홉 살쯤 되었을 때 율리우스 2세의 부름을 받는다. 그의 무덤에 대한 의논을 하기 위해서였는데, 이는 크나큰 영광이었다"라고 바사리는 쓰고 있다. 그리고 이것이, 그 시대의 가장 뛰어난 예술가들을 모두 로마로 불러들였던 문학과 예술의 대단한 후원자였던 교황이, 그에게 한 첫번째 주문이었다는 것을 밝히고 있다. 이에 라파엘로는 스탄차에서, 그리고 동시에 미켈란젤로는 시스티나에서 작업하게 된다. 1505년 3월, 미켈란젤로는 작업구상을 시작한다. 그리고 얼마 후 교황은 무덤을 위한 작업계획을 취소한다. 반면, 그는 미켈란젤로에게 시스티나 예배당의 원형 천정 장식을 벽화형태로 해달라는 주문을 한다. 교황과의 불화, 미켈란젤로의 피렌체로의 도피, 그리고 볼로냐에서의 그들의 화해는 결국 1508년 5월 10일에 이르러서야 시스티나 예배당의 원형 천정을 위한 계약으로 일단락지어진다. 미켈란젤로는 처음에는 마지못해 작업에 착수한다. 애초의 계획에는 열두 제자의 모습이 나타나고 원형 천정 중심에 기하학적인 장식이 보였다. 미켈란젤로는 교황과의 합의하에 계획을 수정하여, 삼각면과 천창들도 역시 벽화로 장식하여 벽 위에 그려진 콰트로첸토의 그림과 연결시키기로 한다. 시스티나 예배당은 1477년에서 1481년 사이에 식스투스 4세에 의해서 건립되었으며, 성모승천을 기념하여 헌납된 것이다. 나중에 〈최후의 심판〉으로 뒤덮일 벽에는 페루지노의 벽화 〈성모승천〉과 〈물을 벗어난 모세〉, 그리고 〈예술의 탄생〉이 있었고, 그 위로는 초창기 주교들의 초상이 있었다. 미켈란젤로는 벽 위에 전개되어 있는 15세기에 완성된 전체도상 프로그램에 의존하고 있었다. 별들이 총총하게 수놓아진 하늘이 그려진 원형 천정 이외에도 벽들은 페루지노, 보티첼리, 기를란다요, 로셀리 등등이 그린 신약과 구약의 이야기들로 뒤덮여 있었다. 원형 천정을 새로 장식하는 일은 천 평방미터의 규모에 거의 삼백 명의 인물이 출현하는 것이었다. 이 작업은 그를 1508년에서 1512년까지 외롭고 억척스러운 투쟁에 빠져 있도록 만들었다.

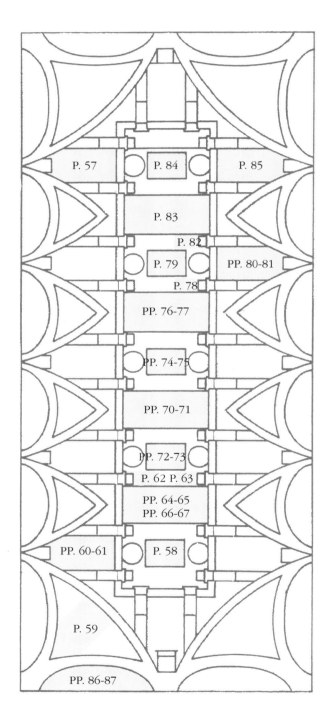

1.
시스티나 예배당 원형 천정의 도면. 도상 시리즈는 성당의 맨 안쪽에서 시작하여 정문 위에서 끝난다. 미켈란젤로는 끝 장면부터 그리기 시작했다. 그러므로 우리는 원형 천정의 묘사도 제작순서에 따를 것이다. 이 순서는 〈창세기〉의 장면들의 연대기적 흐름에 역행한다. (입구의 벽은 아래쪽이다)

2.
"〈리비아의 무녀〉는 일어서려고 하면서 동시에 책을 덮으려 하고 있다"라고 바사리는 적고 있다. 그러나 현대의 독법은 오히려 그녀가 책을 잡으려 하는 것으로 해석하고 있다. 토르네는 그녀가 "예언자적인 기능을 잃고 체념하여, 천부의 재능이 자신을 저버리는 이 때 이 거대한 책을 덮는다"는 것으로 해석하고 있다. 이 인물은 원형 천정의 마지막 부분에 해당하며 미켈란젤로는 기념비적인 이 작품의 마지막에 이르러 거장의 노련한 솜씨를 보여주고 있다. 얼굴 위에 나타나는 가느다란 균열은 마지막 시기의 매우 특징적인 것이다.

2. 〈리비아의 무녀〉(부분), 1511.
프레스코. 395×380㎝.
시스티나 예배당의 원형 천정, 바티칸.

원형 천정의 장식은 벽기둥과 코니스로 구분되어 삼 단계로 나누어진다. 벽의 맨 꼭대기에 미켈란젤로는 창문(천창)을 둘러싸고 둥글게 마태복음에 나오는 예수의 선조들을 재현하는 그림을 그린다.

1.
노아는 대홍수 이후에 신의 노여움을 면한 세 아들과 함께 포도나무를 심은 뒤 술에 취해 버린다. 그가 벗은 채로 잠이 들자 그의 아들 야벳이 외투로 그를 덮어 주려 한다. 전면의 함은 그를 비웃고 셈은 그를 비난한다. 가볍고 성긴 터치로 얼굴을 그려내는 방식은 템페라기법을 무의식적으로 차용한 것이다.

그 위로는 삼각홍예 머리와 벽걸이가 있고 그 사이에 점장이들(무녀와 예언가들)이 있다. 이들은 원형 천정의 중앙부를 둘러싸고 있으며, 이는 다시 성경의 장면을 재현하는 아홉 개의 네모난 면으로 나뉘어 있다. 이들 크고 작은 면들은 네 개의 누드와 '푸토' (게시판이 있기도 하고 없기도 하다)로 채워져 있는 공간이 번갈아가며 구성되어 있다. 벽걸이 위로는 청동색의 누드가 그려져 있다. 장식용 혹은 실제의 골조는 이 거대한 인물들로 가득한 전체를 정돈하고 리듬을 준다. 이런 식으로 그려진 세 개의 영역은 내용의 서열과 일치한다. 맨 아래에는 각성하지 못하고 아직도 신의 빛을 받지 못한 인간들이 있다. 그리고 가운데에는 예언가들이 있다. 그들은 자신들의 초자연적인 능력으로 인해 신의 존재를 의식한다. 그리고 마지막으로 빛과 어둠을 가르는 우주적인 존재인 신이 있다.

"신이 어떻게 세계를 창조했는지를 처음부터 거의 신적으로 표현한 미켈란젤로의 거대한 천정화는 교회의 기반이요 중심인 성 베드로 성당에서 볼 수 있다. 그는 장식적으로나 예술적으로나 최고의 가치를 지닌 수많은 인물들과 무녀들을 출현시켜서 그림을 역사적으로 배열하고 있다."──프란체스코 데 홀란다

2.
〈주디트와 홀로페른〉의 이야기는 구약에 해당한다. 베툴리아 마을의 젊은 미망인 주디트는 하녀를 데리고 도시를 포위하고 있는 네부차드네자르 왕국의 장군인 홀로페른의 진영에 나타난다. 그녀는 장군을 유혹하여 취하게 만든 뒤 목을 자른다. 이러한 저항의 행동은 국민들에게 용기를 주었고 포위하고 있는 병사들을 쫓아 버리게 만들었다.

1. 〈노아의 만취〉 1509. 프레스코. 170×260cm. 시스티나 예배당의 원형 천정, 바티칸.

2. 〈주디트와 홀로페른〉 1509. 프레스코. 570×970cm. 시스티나 예배당의 삼각 홍예.

프레스코벽화에서 원형 천정으로 넘어가는 대목에서 미켈란젤로는 여러가지 기술적인 문제에 부딪쳤다. 우선 그에게는 사다리가 필요했는데 원형 천정 자체에는 가져다 댈 곳이 없었다. 건축가 브라만테가 만들게 했던 그 사다리는 적합치 않았다. 브라만테는 그에게 '벽을 건드리지 않고 불안정하게 들보에 의존하게' 할 생각을 했었던 것이다.(바사리)

그리고 나서 미켈란젤로는 작업 규모의 방대함을 의식하여 벽화작업에 자신보다 경험이 더 많은 피렌체 예술가들에게 도움을 청하기로 결심한다. 그를 도와 이 일을 잘 이끌어 나갈 사람들로서 그라나치, 쥘리아노 부지아르디니, 자코포 디 산드로, 린다코 랑시앵, 아뇰로 디 돈니노, 그리고 아리스토텔레 등이 떠올랐다. 벽화의 기술에는 필연적으로 숙련된 직인이 필요하다. 바사리는 이 점에 관하여 다음과 같이 귀중한 정보를 제공하고 있다. "이 일은 예정된 작업을 하루만에 해내야 하는 것이다.… 이 그림작업은 석회가 다 마르기 전에 쉬지 않고 그날의 예정분을 해내야 한다. 게다가 벽면이 젖었을 때 칠한 색은 마르고 나면 다른 효과를 낸다." 바사리는 또한 프레스코 기법은 유화나 템페라화 같은 다른 그림과는 달리, 마른 데에 덧칠을(가령 농담을 주기 위해) 하지 않는 한 일단 붓질을 한 것은 다시 손댈 수가 없다는 사실을 강조하고 있다. 그러나 겉칠과 동시에 마르는 색깔은 지워지지 않지만, 마른 위에 덧칠을 한 것은 오래 지속되지 않는다. "프레스코작업을 한 것은 남고 마른 위에 덧칠을 한 것은 젖은 걸레질에 지워져 버렸다"고 그는 전하고 있다.

1과 2.
푸른색은 프레스코 벽화 기법상의 문제를 제기한다. 실상 그것은 밑칠 위에 유리질의 산화 코발트를 입히는 것이기 때문이다. 그렇게 하지 않으면 이 색깔은 다른 색과는 다른 작용을 일으킨다. 여기에서 외투의 푸른빛은 그다지 생생하지 않다. 그것은 미켈란젤로 프레스코 벽화의 특징 중의 하나이다. 무녀의 양쪽에 있는 난간 위의 금박을 혼합한 마무리처리 또한 그 특징 중의 하나이다. 이러한 마무리처리는 오랜 시간 지속되는 복원작업에 의해 마모되지 않을 수 없었다. 양식적으로 〈델피의 무녀〉는 미켈란젤로가 처음에 조각했던 성모들을 연상시킨다.

1. 〈델피의 무녀〉 1509. 프레스코. 350×380cm.
시스티나 예배당의 원형 천정, 바티칸.

2. 〈델피의 무녀〉(머리 부분)

다음 페이지들 :
3. 〈남성 누드〉(〈이사야〉 윗 부분), 1509.
프레스코. 190×395cm. 시스티나 예배당의 원형 천정, 바티칸.

4. 〈남성 누드〉(〈에리트리아의 무녀〉 윗 부분), 1509.
프레스코. 190×390cm. 시스티나 예배당의 원형 천정, 바티칸.

앞 페이지 :
"연민의 몸짓들이 여기 있다.
사람들은 도망치기 위하여 어느 바위
위에 올라가 서로를 잡아당기고 있다.
어떤 이는 죽어가는 사람을
구하려고 꽉 끌어안고 있다. 이보다
더 극명한 현실은 없을 것이다"라고
바사리는 해석하고 있다.
방주에 있던 사람들을 제외하고는
아무도 신의 노여움을
벗어날 수 없었기 때문이다.
이 장면은 우리가 알고 있는 그들의
숙명적인 죽음보다도 훨씬 더
치열하고 극적으로 그려져 있다.

〈홍 수〉는 미켈란젤로가 그린 제일 첫 장면인
듯하다. 이 작업에서는 많은 조수들이 가담했다. 특히
그라나치와 부지아르디니가 첫번째 면의 왼쪽 부분에
있는 인물들을 그렸다. 이 장면은 노아의 방주만을
모티프로 삼지 않았다는 것이 특징이며, 바위를 타고
오르거나 배로 기어오르고 피난처를 찾으며 재난에서
벗어나려고 애쓰는 여러 군상들로 이루어져 있다.
"물이 차오르자 사람들은 공포에 사로잡힌 채 어떻게
든 살아나려고 애를 쓴다. 그 표정들은 그들의 존재
가 끔찍한 공포와 절망과 죽음의 포로라는 것을 말해
준다."(바사리) 미켈란젤로는 노아의 방주라는 단일
한 주제보다는 다시 한번 (이미 〈카시나의 전투〉에
서 했던 것처럼) 공포와 고난이라는 주제를 택한다.
전기작가들에 따르면, 미켈란젤로는 곧 이 조수들의
도움을 받지 않고 혼자서 일을 해야 했다고 한다.
그들의 작업이 마음에 들지 않았기 때문이다. 사실상
그는 조수들 중에서 몇 명만을 남게 하고, 그들에게
물감을 준비하는 일이나 부차적인 인물들을 그리는
일만을 맡겼다고 한다.
　　원형 천정의 첫 부분에서 미켈란젤로는 새로운
문제에 부닥친다. 콘디비에 따르면 〈홍수〉에는 곰팡
이가 피기 시작했다고 한다. 그는 이 어려움을 교황
에게 이야기했고, 교황은 그에게 건축가 쥴리아노
다 산갈로를 보낸다. 이 능숙한 기술자는 곰팡이를
제거해 주었다.

1과 2.
이 벽화는 세월의 흐름에 따른
손상을 유난히 많이 입었다.
특히 곰팡이의 해가 많았고
1797년 산 안젤로 성의 폭발로 인해
그림 속의 천막 윗쪽 회벽 부분이
손상되었다. 오늘날에는 신의
노여움을 상징하는 천둥이
보이지 않지만 원래는 이 천막 위를
때리고 있었다. 콘디비가 지적한
이러한 세부 사항은 16세기의
복사화를 통하여 입증된다.

1, 2 그리고 앞 페이지들 :
〈홍수〉(부분), 1508-1509.
프레스코. 280×570㎝. 시스티나 예배당의 원형 천정, 바티칸.

〈원 죄〉는 선악과나무를 중심으로 대칭으로 나뉘어진 두 단계로 고안되었다. 왼쪽에는 유혹의 이야기가 있는데, 여기에 금지된 열매를 따먹으려는 아담이 있다. 이브는 그 당시에 그랬다고 하기에는 관능적인 포즈로 태연하게 악마가—여자의 얼굴로 상징된—사과를 주기를 기다리고 있다. 오른쪽에는 아담과 이브가 낙원에서 추방당하는 그림이 있다. 그들은

수목과 암석이 가득한 풍요로운 풍경에서 황폐한 풍경으로 옮아간다. 아담은 마사치오의 벽화(피렌체의 카르미네 성당과 브란카치 예배당)나 자코포 델라 케르치아의 부조(볼로냐의 산 페트로니오 성당)에서처럼 두 팔을 뒤로 젖히며 신의 분노를 막아보려한다. 단죄의 부분에서 율리우스 2세의 문장(紋章)인 떡갈나무 잎이 넘치는 것은 교황이 스스로에게 부과했던 구원의 임무를 나타내는 것처럼 보인다.

1 그리고 앞 페이지들 (부분) :
〈원죄〉 1509-1510. 프레스코. 280×270cm.
시스티나 예배당의 원형 천정, 바티칸.

1.
원죄의 장면은 여드레만인가
아흐레만에 제작되었다.
이는 우아한 곡선을 지닌
이브의 몸에서 출발하여
유혹하는 뱀모양의 마녀를 지나
낙원에서 추방당한 아담과
이브의 나신에 다시 이르기까지
왼쪽에서 오른쪽으로
아치형으로 원을 그리며 뻗어
있다.

미켈란젤로에게 있어 1509년은 특히 어려운
한 해였다. 벽화작업의 조수들 때문에 그는 끊임없이
새로운 문제에 부딪친다. 게다가 아버지에게 보낸
편지를 보면 보수에 관한 교황의 무성의에 대해 불평
하고 있다. "교황에게서 돈을 받지 못한 지가 일
년이 지났습니다. 나는 그에게 아무런 요구도 하지
않았습니다. 내 일이 대가를 받을 만큼 진전을 보이
지 않고 있기 때문입니다. 따라서 나는 헛되이 시간
을 보내고 있습니다."(1509년 1월 27일) 그러나 교황
은 원형 천정의 장식을 너무나 보고 싶어 했으므로
몇 차례씩이나 서슴지 않고 몸소 사다리를 타고 올라
가 작업의 진전상황을 지켜본다. 1510년 8월, 재정문
제로 작업은 거의 일 년간이나 중단된다. 율리우스
2세는 프랑스와의 전쟁을 치르느라 사실상 로마에서
멀리 떨어져 있었다. 첫번째 부분의 개막식은 1511
년 8월 15일에 있었다.

원형 천정의 두번째 부분은 〈이브의 창조〉에서
시작된다. 하나님은 아담이 자고 있는 동안 갈비뼈를
빼내어 이브를 만든다. 이 장면은 채색에 있어서
원형 천정의 가장 풍요로운 부분 가운데 하나이다.
하늘의 푸른색과 하나님의 몸을 감싸고 있는 붉은
빛이 도는 보라색은 세련된 색조의 조화를 이룬다.
전면의 나신들과 배경의 푸른 하늘 사이에 밤색이
점점 진하게 겹쳐진다.

앞 페이지 :
노아의 가족은 숫양을 제물로
바치기 위해 제단 주변에 모였다.
그의 아들 가운데 하나가 제단 아래에
불을 지피기 위해 나무를 가져온다.
노아와 그의 아내의 따뜻한 옷색깔은,
이 점 때문에 그에게 불리한 방향으로
비평이 전개되었음에도 불구하고
미켈란젤로가 색채화가였음을
상기시킨다.

앞 페이지들 :
〈노아의 제물〉 1509.
프레스코. 170×260cm. 시스티나 예배당의 원형 천정, 바티칸.

1. 〈이브의 창조〉 1509-1510.
프레스코. 170×260cm.
시스티나 예배당의 원형 천정, 바티칸.

"저는 불만스럽습니다.… 외롭고 돈도 없지요."
—아버지에게 보낸 편지, 1509년 2월 - 3월

1.
아버지 하나님을 나타내는
이 인물의 육중함은 마사치오와
지오토, 그리고 이 거장들을
본떠서 그가 그린 초창기의
데생들을 연상시킨다.
〈이브의 창조〉의 스타일은 아직도
델라 케르치아의 예술에 젖어 있다.
인물들은 거의 모든 공간을
차지하면서 삼각형의
구도 속에 갇혀 있다.

저 유명한 〈아담의 창조〉에서 미켈란젤로는 다음
과 같은 모습들을 그려낸다. "벌거벗은 아기 천사들
이 신을 떠받치고 있다. 인상적인 위엄과 움직임의
역동성이 내는 효과는 한 인물이 아니라 세계 전체를
받치고 있는 듯한 느낌을 준다. 신은 몸을 의지하려

는 듯이 한 손으로 푸토(벌거벗은 아기 천사)를 감싸
안고 있으며 다른 손은 아담에게 내밀고 있다. 아담
의 포즈와 그 아름다움, 미술가의 붓끝이라기보다는
그 창조자의 출현을 다시 한번 느끼게 하는 아름다움
이다."(바사리)

1.
이 장면의 제작 규모는
미켈란젤로가 당시의 벽화기법을
얼마나 능란하게 구사했는가를
보여준다. 서로 스칠 듯이 뻗고 있는
손가락의 움직임이 뛰어난
〈아담의 창조〉는 '오관의 빛을 밝히는'
신을 축복하는 찬가에서
영감을 얻은 것 같다.

1. 〈아담의 창조〉 1510.
프레스코. 280×570cm.
시스티나 예배당의 원형 천정, 바티칸.

"미켈란젤로가 사랑한 것은
인간의 아름다움뿐만이 아니었다.
그는 보편적으로 아름다운 모든것,
아름다운 말, 예쁜 강아지,
아름다운 풍경, 아름다운 식물,
아름다운 산, 아름다운 숲,
모든 경치, 그리고 각 종류마다에서
가장 아름답고 귀한 모든것을 사랑했다.
그리하여 그는 벌이 꽃에서 꿀을 따듯,
자연에서 아름다움을 채집하여
자기 작품에 이용했다."―콘디비

하 나님의 모습은 〈노아의 만취〉(입구의 문 위쪽)에서처럼 원형 천정의 제2부의 여러 곳에서 나타난다. 이는 무엇보다도 제1부에서는 나타나지 않았던 추진력을 보여주는 것이다. 그러므로 인간을 발견하는 관람자는 그 다음에는 만물의 근원이며 무엇보다도 인간 영혼의 원천인 하나님을 향해 나아가게 된다. 여기에 재현된 '물을 가르다'라는 주제에 관해서는 의견이 분분하다. 미켈란젤로의 전기작가들까지도 이에 관해 다양한 해석을 내리고 있다. 바사리는 바다와 대지의 분리라고 보는 반면, 콘디비는 물고기와 새들의 창조에 관한 것이라고 말하고 있다.

2.
"다음은 '물과 뭍을 분리하는' 장면이다.
이는 미켈란젤로의 신성한 손을
통해서만이 태어날 수 있을 듯한
희귀하고 인상적인 모습들과 눈부신
인물들을 보여주고 있다."(바사리)
소용돌이치는 외투에 휘감긴
신이 하늘과 물 사이를 떠다니는
모습으로 나타나고 있다.

1. 〈남성 누드〉(〈페르시아의 무녀〉 윗 부분), 1511.
프레스코. 200×395cm.
시스티나 예배당의 원형 천정, 바티칸.

2. 〈물을 가르다〉 1511.
프레스코. 155×270cm.
시스티나 예배당의 원형 천정, 바티칸.

1.
대단히 자유로운 분위기를 풍기는
이 〈남성 누드〉의 두상은
완전히 구름 속에 잠겨 있다.
풍부한 표정을 지닌 망연자실한
옆 모습은, 맞은편의 빛을 향해
다가가고 있는 〈남성 누드〉의
차분하고 육감적인 얼굴과는
대조적이다.(앞의 페이지 참조)
이 두 〈남성 누드〉는 서로
대립적이면서 인물이 반복적으로
나타나는 단조로움을 극복하기 위한
미켈란젤로의 창조적 능력을
입증해 준다. 그들의 여러가지 표정과
태도들은 결국 인간이 가질 수 있는
모든 감정을 상징하고 있다.

2.
"두번째 장면에서 그는
완벽하고도 천재적인 솜씨로
'해와 달의 창조'를 보여준다.
일군의 아기 천사들이 받들고 있는
신의 팔과 다리의 단축법은
그 불가사의한 면모를 강조해
준다."(바사리) 마지막 장면들에
이르러서 미켈란젤로는 종종
단축법을 사용하여 원형 천정의
인물들을 그렸다.

앞 페이지들 :
〈페르시아의 무녀〉 1511.
프레스코. 400×380cm.
시스티나 예배당의 원형 천정, 바티칸.

1. 〈남성 누드〉(〈페르시아의 무녀〉 윗 부분), 1511.
프레스코. 200×395cm.
시스티나 예배당의 원형 천정, 바티칸.

2. 〈별들의 창조〉 1511.
프레스코. 280×570cm.
시스티나 예배당의 원형 천정, 바티칸.

"개막식에는 전 세계에서 사람들이 모여들었다. 이 작품은 사람들이 감탄한 나머지 넋을 잃을 정도였다. 이처럼 위대한 작업을 기획하여 성공적으로 이끌었다는 점에서 위대함을 더하게 된 교황은 미켈란젤로에게 돈과 귀한 선물로 보상을 하였다."—바사리

1과 3.
"다리를 꼬고 팔꿈치를 한쪽 무릎에 얹고 한 손은 턱수염에, 다른 한 손은 무릎에 늘어뜨린 채 고개를 숙이고 있는 예레미야는 그의 민족이 그에게 일으킨 쓰디쓴 상념들과 멜랑콜리에 잠겨 있는 듯한 태도를 보이고 있다."(바사리)

율리우스 2세의 재촉에 못이겨 미켈란젤로는 급히 서둘러서 시스티나 예배당의 작업을 끝낸다. 드디어 1512년 10월 31일 제성절 전야에 원형 천정은 정식으로 개막식을 가졌고 모든 사람들의 찬탄을 받는다. 미켈란젤로는 이 작업에서 완전히 기진맥진한다. "내내 고개를 들고 작업해야 했으므로 이 작품은 그를 매우 불편하게 했다. 그는 눈이 나빠져서 글자를 읽을 수 없게 되었고 옥외에서가 아니면 그림도 볼 수 없게 되었다. 그리고 이 증세는 몇 달 동안이나 계속되었다."(바사리) 시스티나 예배당은 로마에 체류하는 모든 예술가들이 반드시 둘러보아야 할 곳이며, 바사리의 말에 따르면 일종의 '데생의 아카데미'가 된다. 거기에 재현된 장면들은 직접 가 볼 수 없는 사람들이 데생과 판화를 통해서 나누어 볼 수 있게 되었다. 수많은 화가들이 시스티나 예배당의 원형 천정 장식에서 영감을 얻어서 작품활동을 하게 되는데, 이러한 현상은 물론 16세기 이후에도 계속된다. 마르칸토니오 라이몬디 같은 유명한 판화가, 그리고 좀더 나중에는 지오르지오 기시, 또 케루비노 알베르티 등이 미켈란젤로의 도상을 보급하는 데에 주요한 역할을 한다.

1. 〈예레미야〉 1511.
프레스코. 390×380㎝.
시스티나 예배당의 원형 천정, 바티칸.

2. 〈빛과 어둠을 가르는 신〉 1511.
프레스코. 180×260㎝.
시스티나 예배당의 원형 천정, 바티칸.

다음 페이지들 :
〈엘레아자르와 마탄〉 1511-1512.
프레스코. 215×430㎝.
시스티나 예배당의 원형 천정, 바티칸.

2.
〈빛과 어둠을 가르는 신〉이 보여주는 대담한 단축법과 극도로 자유로운 터치는 미켈란젤로의 벽화기법을 총체적으로 요약하고 있다.

ELEA

MAT

시스티나 예배당을
위한 습작들

1.
라파엘로가 그린
〈율리우스 2세의 초상〉은
자기 성찰이 강조되고 있는
심리적 깊이의 표현이 뛰어나다.
미켈란젤로에게 자신의 무덤과
시스티나 예배당의 원형 천정을
부탁한 이 위대한 예술후원자는
1513년, 시스티나 예배당이 완성되고
나서 얼마 되지 않아 세상을 떠났다.

데 생은 미켈란젤로의 작품에서 매우 중요한
의미를 갖는다. 일생 동안 무한히 다양한 제작 기법
을 구사했을 뿐만 아니라, 모델의 해부에서 시작되는
습작으로부터 좀더 진전된 구성의 습작 또는 토마소
카발리에리에게 줄 예정이었던 것들처럼 완성도 높은
데생에 이르기까지, 그의 작품이 보여주고 있는 폭은
상당히 넓다. 시스티나 예배당의 작업을 위한 각각의
인물들의 습작은 주로 붉은 연필로 되어 있는데,
이는 초기 데생에서 사용된 펜이나 검은 돌을 대신하
는 것이었다. 모델에 따라서 행해진 이 습작들은
벌써 시스티나 예배당 작품의 인물들을 특징짓는
육체의 팽창을 보이고 있다. 이들은 미켈란젤로가
막상 밑그림을 시작하기 전에 표정과 운동감을 결정
할 수 있게 해 주었다. 하만(〈하만의 수난도〉는 제단
위의 벽걸이 그림 가운데 하나이다)을 위한 다섯
개의 습작은 그가 대형벽면을 놓고 신체의 각 부분을
얼마나 완벽하게 표현하려 했던가를 보여준다. 미켈
란젤로는 종종 이런 식으로 중심부에서 끝 부분으로
작업을 진행시켜 나갔다. 앉아 있는 남성 누드를
재현한 습작은 〈페르시아의 무녀〉 바로 위의 남성
누드의 준비단계이다. 실제 벽화에서는 좀더 무게가
있고 원근법이 두드러진다. 아담을 위한 습작은 시스
티나의 인물들을 어떤 식으로 완성해 나갔는가를
더욱 잘 알 수 있게 해 준다. 신체의 습작의 근육을
보면 실제 벽화의 아담과 같지만 얼굴과 손, 발 등의
부분은 나타나 있지 않다. 오른손만 따로 그려져
있을 뿐이다. 각각의 인물들은 단편적인 방식으로
이루어지고 있다. 그러므로 같은 얼굴이 이 작가의
작품에는 여러 번 등장했을 수도 있다.

2와 다음 페이지 :
미켈란젤로는 붉은 연필을
원형 천정의 마지막 색깔인 듯
꼭 그렇게 사용했다.
톤의 점증적 변화와
강하게 두드러지는 윤곽 등은
지극히 세련된 솜씨에서
나오는 것들이다. 빛의 흔적은
백연 자국으로 낼 수 있었다.

1. 〈율리우스 2세의 초상〉 1511-1512년경. 라파엘로.
나무판. 108×80.7cm.
내셔널 갤러리, 런던.

2. 〈시스티나 예배당의 하만의 형상을 위한 습작〉 1511.
붉은 연필과 검은 돌의 두 가지 색조. 25.2×20.5cm.
테일러 박물관, 하를렘.

"회화, 건축, 그리고 조각은 데생에서 그 절정을
이루고 있다. 여기에는 모든 화법과 모든 학문의
뿌리 가운데 으뜸이 되는 원천이 있다."
―프란체스코 데 홀란다가 전한 미켈란젤로의 말

1. 〈앉아 있는 남성 누드와 두 개의 손을 위한 습작〉 1510년경.
첨필 자국 위에 백연 자국과 붉은 연필. 26.8×18.6㎝.
알베르티나 그래픽스 콜렉션, 빈.

2. 〈아담의 창조를 위한 습작〉 1510년경.
붉은 연필. 19.3×25.9㎝.
대영박물관, 런던.

1.
이 유명한 라오콘 군상은 라오콘
사제가 그의 사원을 모독한 것에 대한
아폴론의 보복을 재현한 것이다.
그리하여 아폴론은 라오콘의
두 아들에게 뱀을 보내고
이들 셋은 모두 질식해서 죽는다.

예수의 〈매장〉은 미술사가들에게 연대추정과
원작자가 누구인가에 관한 문제를 야기시킨다. 땅바
닥에 앉아 있는 막달라 마리아, 그리스도의 몸을
받치고 있는 니고데모, 아리마데 요셉 그리고 세례
요한의 어머니 마리아 살로메, 그리고 그 앞에는
그리다가 만, 겨우 형체만 드러나는 무릎을 꿇고
있는 성모 등 이 그림에 재현되어 있는 모든 인물들
중에서 오직 니고데모만이 〈도니의 원형 부조〉와
관계가 있다는 것이 확실하다. 그래서 일부 비평가들
은 몇몇 인물들은 미켈란젤로가 직접 그린 것이 아니
고 그의 제자가 그렸을 것이라는 가설을 밀고 나가게
된다. 그렇다면 그것들은 제작상의 순서로 보아 니고
데모와 막달라 마리아 이후의 인물들에 해당될 것이
다. 하지만 루브르 박물관에 보관되어 있는 예비데생
을 보면 이러한 가설은 반박되어야 할 것이다. 미켈
란젤로는 작품을 완성한 적이 없으므로 나중에 다른
누군가의 손에 의해 완성되었을 수도 있다. 뱀처럼
구불구불하고 뒤틀린 마리아 살로메와 성녀의 모습은
폰토르모의 스타일을 생각나게 한다. 미카엘 허스트
교수는, 이 그림이 1500년말에서 1501년초 사이에
로마에서 산 아고스티노 성당을 위해 제작에 착수했
던 제단화이며, 미켈란젤로가 피렌체로 돌아옴에
따라 미완성인 채 남게 되었다고 말한다. 다른 작가
들은 1504년에서 1508년 사이로 이 작품의 제작연대
를 추정하고 있다. 한편 이 그림은 1506년 로마의
에스퀼리누스 언덕에서 발견된 라오콘 군상의 영향을
받은 것이 확실한데, 이는 작품의 연대를 추정해낼
수 있는 근거를 제공해 주고 있다.

2.
이 데생의 진품 여부는 이제
더이상 거론되지 않는다.
뒷면에는 〈카시나의 전투〉를
위한 습작이 그려져 있는
것으로 보아 제작연대는
1503년 혹은 1504년 이전으로
추정할 수 있다. 이 데생은
오른손에는 가시관을,
왼손에는 못을 들고 있는
막달라 마리아를 재현한 것이다.

1. 〈라오콘 군상〉
피오 클레멘티노 박물관, 벨베데르, 바티칸.

2. 〈무릎을 꿇은 소녀의 누드〉(오른쪽), 1503-1504년경.
검은 돌, 두 가지 색의 잉크와 펜. 27×15cm.
루브르 박물관 데생전시실, 파리.

3. 〈매장〉(미완성)
나무. 161.7×149.9cm.
내셔널 갤러리, 런던.

율리우스 2세의 무덤

율리우스 2세 무덤의 역사는 맨 처음 구상단계인 1505년부터 완성되는 1545년에 이르기까지 사십년에 걸친 것이다. 사실상 이 유적은 여섯 번이나 계획을 수정했기 때문에 그 역사는 매우 복잡하다. 그러나 이 역사는 또한 미켈란젤로 예술의 전개과정을 완벽하게 보여준다.

1505년에 그가 작성했던 최초의 계획은 야심적인 것이었다. 바사리와 콘디비의 묘사에 의하면, 그것은 수많은 조각들로 장식된, 사방에서 볼 수 있는 자유로운 건축물이었다고 한다. "전체적으로 작품은 사십여 개의 대리석 조각과 그 외에 발가벗은 꼬마들의 상, 부수적 장식들, 조각이 새겨진 코니스와 건축적 구조물들로 이루어져 있었다."(바사리) 내부에는 석관을 들이기로 되어 있는 타원형의 방이 있었다. 1505년 4월 계약서에 서명을 하고, 미켈란젤로는 대리석을 고르느라 여덟 달을 카라라에서 보낸다. 미켈란젤로는 고대 묘지 건축에서 영감을 얻는다. 이 야심적인 계획을 실행에 옮기는 일은 주변 건축을 고려하지 않을 수 없었다. 결국 미켈란젤로는 그것을 15세기에 로셀리노가 재건한 성 베드로 성당의 중심부에 배치하기로 했다. 그러나 건축가 다 산갈로는 그것을 추모예배실에 배치하기를 원했다. 거대한 계획이 중단되었다. 제국주의 시대의 영묘나 순교자를 위한 예배당의 이미지를 본뜬 원형 지붕으로 둘러싸인 중심지에 성 베드로 성당을 다시 지어야 했기 때문이다. 새 건축물은 브라만테의 지휘로 1506년 4월 18일에 시작되었다. 그러나 이는 율리우스 2세의 무덤을 미켈란젤로가 생각했던 대로 실현하는 일을 방해했던 것 같다. 불만과 격노에 휩싸인 그는 초석을 놓는 날에 피렌체로 피신해 버린다. 율리우스 2세의 무덤작업은 1513년 교황이 죽고 나서야 그 유언집행인의 관리하에 다시 시작된다.

1과 2.
1505년, 맨 처음의 계획에서부터 미켈란젤로는 이미 〈관조하는 삶〉, 〈적극적인 삶〉, 그리고 〈모세〉를 제작할 생각이었다. 〈관조하는 삶〉과 〈적극적인 삶〉은 마지막 계획에 따라서 1542년에 가서야 실현된다. 그렇게 해서 모세는 라헬과 레아로 상징되는 신앙과 자비에 둘러싸이게 된다. 깊은 성찰을 거친 차분한 작업을 통해 제작된 이 두 조상은 이십여 년 전에 제작된 〈모세〉의 과격함과 대조를 이룬다.

3.
앉아 있는 〈모세〉는 원래 밑에서 대각선으로 바라보도록 계획된 위엄있는 조상이다. 이는 1513년 묘지계획의 제2단계에 가서야 제작된다. 그는 '폭발하는 노여움을 다스리는', '분노에 떨고 있는'(토르네) 인물로 묘사되어 있다. 〈모세〉의 시선이 왼쪽을 향하고 있는 반면, 그의 몸은 오른쪽으로 기대고 있다. 바사리는 감탄을 금하지 못하면서 이렇게 말한다. "그는 신이 정결한 이 얼굴에 새겨 넣은 신성한 성격을 대리석 안에 이처럼 훌륭하게 표현해 놓았다. 옷깃의 깊은 주름이 만들어내는 소용돌이 외에도 팔의 근육, 손의 신경과 뼈는 너무나 아름답고 완벽하게 표현되어 있으며, 다리와 무릎 그리고 발은 의도적으로 만들어 넣은 샌들과 잘 어울리게 처리되어 있다."

1. 〈라헬 혹은 관조하는 삶〉(율리우스 2세 무덤의 부분), 1542.
대리석. 높이 : 197cm.
산 피에트로 인 빈콜리, 로마.

2. 〈레아 혹은 적극적인 삶〉(율리우스 2세 무덤의 부분), 1542.
대리석. 높이 : 209cm.
산 피에트로 인 빈콜리, 로마.

3. 〈모세〉(율리우스 2세 무덤의 부분), 1515-1516년경.
대리석. 높이 : 235cm.
산 피에트로 인 빈콜리, 로마.

노예들

영 묘의 도상배치 계획은 이교적인 세계에 대한 카톨릭 교회의 승리를 보여준다. 맨 아래쪽에 〈승리〉와 〈노예들〉을 놓기로 되어 있었다. 바사리의 말에 따르면, 이들은 "교황(율리우스 2세)의 관할구역 내에 있었고 교황청에 종속되어 있었다." 그러나 이 두 명의 노예들은 진정한 신앙을 깨우치는 이교민을 상징하는 것처럼 보인다. 그러나 토르네는, "미켈란젤로는 이를 넘어서고 있으며 '인간적인 순수한' 이미지를 창출했다. … 노예들은 전리품이 아니라 인간 영혼의 육체적 속박에 대한 고통스럽고 가망없는 투쟁의 상징으로 변한다"라고 암시적으로 말하고 있다. 두번째 단계의 조각인 〈모세〉와 〈성 바울〉은 육체에 대한 영혼의 승리를 나타낸다.

오늘날 루브르 박물관에 소장되어 있는 두 개의 노예상은 1513년의 두번째 계획을 실행에 옮긴 첫 작품에 해당한다. 라오콘 군상의 기억은 아직도 〈죽어가는(혹은 혼절하는) 노예〉의 포즈에 나타나 있다. 가슴과 어깨에 감겨 있는 붕대에 의해서 더욱 강렬해 보이는 포즈. 좀더 자유로운 창작품인 〈반항하는 노예〉는 미완성으로 남아 있다. 미켈란젤로는 아마도 1542년에 〈모세〉의 양쪽에 그것을 놓을 예정이었던 것 같지만, 결국 〈라헬〉과 〈레아〉로 대치한다. 1544년 그는 그가 병중이었을 때 로마에 있는 자기집에서 그를 머물 수 있게 배려해 준 피렌체인 스트로치에게 감사의 표시로 이 두 노예상을 선물한다. 리용에 망명해 있던 로베르토 스트로치는 이 두 조각품을 가져갔다가, 1546년 혹은 1550년경에 프랑스와 1세에게 선사한다. 이번에는 프랑스 국왕이 그것을 총사령관 안느 드 몽모랑시에게 주고, 그는 이것들을 에쿠엥에 있는 자신의 성 앞에다 옮겨다 놓는다. 1632년 이 두 노예상은 리슐리외 추기경에게 바쳐진다. 이 조각들은 대혁명 기간 동안에는 숨겨져 있다가 팔려간 것으로 추정되며, 알렉상드르 르느와르가 찾아내어 결국 루브르 박물관에 소장되었다.

1. 〈죽어가는 노예〉 1513.
대리석. 높이 : 215cm.
루브르 박물관, 파리.

2. 〈반항하는 노예〉 1513.
대리석. 높이 : 215cm.
루브르 박물관, 파리.

그의 예술,
우정어린 도움

1.
〈나사로의 부활〉은 세바스티아노의
베네치아 화파 교육에서 유래하는
어두운 분위기 속에서 미켈란젤로가
연구한 인물들의 구성을 보여준다.

미켈란젤로는 로마에서 율리우스 2세의 무덤
과, 곧이어 피렌체에서 교황 레오 10세가 주문한
산 로렌초 성당의 파사드를 위한 작업에 몰두해 있었
으므로 오랫동안 그림을 그리지 못하고 있었다. 그럼
에도 불구하고 그는 베네치아 출신 화가인 친구 세바
스티아노 델 피옴보를 위하여 여러 번 방대한 구성의
소묘를 한다. 미켈란젤로는 그에게 특히 소묘 한
점과, 바사리에 따르면, 1515년에 완성된 비테르보
박물관의 〈피에타〉 밑그림을 준다. 세바스티아노
델 피옴보는 시스티나 예배당 원형 천정의 전반부가
끝난 지 얼마 되지 않아서 로마에 왔다. 훗날 클렌멘
테 7세가 되는 쥘리오 데 메디치 추기경은 1516년
라파엘로에게 〈예수 현성용화〉를, 그리고 세바스티아
노에게 〈나사로의 부활〉을 주문한다. 세바스티아노의
개입에 의해 미켈란젤로와 라파엘로 사이에 경쟁이
붙는다. 미켈란젤로는 나사로라는 인물과 관련된
〈부활〉의 습작을 많이 남겨 놓았다. 바사리에 따르
면, 미켈란젤로는 이 그림을 완성하는 데에 참여했을
것이라고 한다. 그는 또다시 몬타리오에 있는 보르게
리니 데 산 피에트로 예배당의 제단 장식을 위해
'그리스도의 태형'을 재현하는 그림을 그린다. 미켈
란젤로와 세바스티아노의 공동작업은 미켈란젤로의
인간성에 대하여 많은 것을 시사해 주고 있다. 시스
티나 예배당 작업 이후 영광의 절정에 있으면서도
자신의 예술을 친구를 돕는 수단으로 삼았고, 세바스
티아노를 통해 라파엘로의 경쟁 상대가 되었기 때문
이다.

2.
〈예수 현성용화〉는 라파엘로가
죽음에 임박해서까지도 그렸던
그의 최후의 걸작이다.
화면 구성은 위와 아래의 두 단계로
구분되어 있는데, 현성용하는 예수의
모습이 윗 부분을 차지하고,
아래에는 예수가 타보르 산에
되돌아와서 물리치게 되는 악마에
사로잡힌 아기, 그리고 사도들의
모임이 자리잡고 있다.

3.
두 사람에 의해 떠받쳐진 나사로를
그린 이 소묘(왼편이 잘려 나간)는
세바스티아노 델 피옴보가 자신의
작품 속에서 다시 활용하게 된다.

1. 〈나사로의 부활〉 1517-1519.
세바스티아노 델 피옴보.
패널. 약 381×289.6cm.
내셔널 갤러리, 런던.

2. 〈예수 현성용화〉 1510-1520. 라파엘로.
나무판. 410×279cm.
바티칸 미술관.

3. 〈두 사람이 떠받치고 있는 나사로를 위한 습작〉
붉은 연필. 25.1×14.5cm.
대영박물관, 런던.

메디치 가의 주문

메디치 가의 일원인 레오 10세와 그의 사촌 쥴리오 데 메디치 추기경은, 당시 산 로렌초에 건설 중인 성당을 브루넬레스키의 제의실과 짝을 이루어 메디치 가의 장례 예배당으로 만들 생각을 했다. 1521년 1월부터 11월 사이에 미켈란젤로는 그 계획을 완성한다. 이 능묘건축은 1524년에야 시작된다. 그동안 미켈란젤로는 카라라에서 대리석을 캐내어 고른다. 그는 메디치 가를 위하여 사방에서 볼 수 있는 자유로운 형상의 기념물을 계획한다. 그리고 벽면으로 축조되는 능묘건축 가능성도 연구하는데, 이 계획은 마침내 실행에 옮겨진다. 무덤을 위하여 조각을 제작하기 시작할 때에 그는 쉰 살 가량이었고, 그때 그가 몰두해 있던 죽음에 대한 명상은 도상 계획을 통해서 엿볼 수 있다. 멜랑콜리는 모든 인물의 얼굴 위에 나타난다. 〈낮〉과 〈새벽〉은 잠에서 깨어나기 싫은 듯이 보이는 반면, 〈황혼〉과 〈밤〉은 벌써 잠을 못이겨 고개를 숙이고 있다. 로렌초 자신도 깊은 명상에 잠겨 있다.

미켈란젤로는 다음과 같이 이들을 해석하고 있다. "〈밤〉과 〈낮〉은 이렇게 말한다. 쉬지 않고 달려 쥴리아노 공을 죽음으로까지 이끌었다고." 사실 우르비노 공이며 레오 10세의 조카인 로렌초는 1519년에, 그리고 네무르 공이며 레오 10세의 동생인 쥴리아노는 1516년에 죽었다. 〈새벽〉과 〈황혼〉, 〈낮〉과 〈밤〉도 역시 인간의 힘으로 어쩔 수 없는 시간이라는

왼쪽에서 오른쪽으로 :
1. 〈올빼미〉(쥴리아노 데 메디치 무덤의 부분), 1526-1533.
대리석. 메디치 예배당, 산 로렌초, 피렌체.

2. 〈황혼〉(로렌초 데 메디치 무덤의 부분), 1524-1531.
대리석. 길이 : 195cm.
메디치 예배당, 산 로렌초, 피렌체.

3. 〈쥴리아노 데 메디치의 무덤〉 1526-1531. 대리석.
메디치 예배당, 산 로렌초, 피렌체.

4. 〈밤〉(쥴리아노 데 메디치 무덤의 부분), 1526-1531.
대리석. 길이 : 194cm.
메디치 예배당, 산 로렌초, 피렌체. 스칼라.

5. 〈쥴리아노 데 메디치〉(머리 부분), 1526-1533.
대리석. 높이 : 173cm.
메디치 예배당, 산 로렌초, 피렌체.

6. 〈밤과 낮〉(쥴리아노 데 메디치 무덤의 부분), 1526-1533.
대리석. 메디치 예배당, 산 로렌초, 피렌체.

7. 〈로렌초 데 메디치의 무덤〉 1524-1531. 대리석.
메디치 예배당, 산 로렌초, 피렌체.

다음 페이지들 :
1, 2. 〈새벽〉(로렌초 데 메디치 무덤의 부분), 1524-1531.
대리석. 길이 : 203cm.

것의 알레고리이다. 이들은 각각 둘씩 석관 위에
놓여 있다. 헤라클레스의 근육과 같은 것은 알레고리
를 위한 하나의 법칙처럼 드러난다. 그리고 〈낮〉은
그것을 특히 잘 보여주고 있다. 윗부분의 비틀림은
팔과 가슴, 그리고 등의 모든 근육을 튀어나오게
만들고 있기 때문이다. 윗층에는 와상은 없지만
〈모세〉처럼, 앉아 있는 모양의 조각 로렌초와 쥴리아
노의 존재로 해서 죽은 자의 영혼의 불멸성을 환기시
키고 있다. 그들은 세번째 벽 앞에 있는 〈아기 예수
를 안고 있는 성모〉(이에 관해서는 차후에 언급하기
로 하자)를 조용히 바라보고 있다. 벽들은 검정빛이
도는 회색의 '피에트라 세레나'(청정한 돌이라는
뜻을 가진 재료 이름)로 되어 있는 벽기둥과 추녀로
장식되어 있었다. 미켈란젤로는 천창을 위한 벽화
시리즈와, 지오반니 다 우디네가 시작했으나 교황의
마음에 들지 않아 완성되지 못했던 천창을 위한 프레
스코벽화와 원형 천정을 위한 화장회벽에 대해서 줄
곧 꿈꾸고 있었다.

1. 〈쥴리오 데 메디치 추기경, 루이지 디 롯시 추기경과
함께 있는 레오 10세〉 1517-1518. 데 라파엘로.
패널에 유채. 155.2×118.9cm.
우피치 미술관, 피렌체.

2. 〈벽의 장식〉
메디치 예배당, 산 로렌초, 피렌체.

3. 〈기괴한 얼굴들을 위한 습작〉 1530.
붉은 연필. 25.5×35cm.
대영박물관, 런던.

4. 〈밤의 가면〉(쥴리아노 데 메디치 무덤의 부분), 1526-1533.
대리석. 메디치 예배당, 산 로렌초, 피렌체.

5. 〈낮의 등과 왼팔을 위한 습작〉 1524년경.
검은 돌. 19.6×25.7cm.
테일러 박물관, 하를렘.

6. 〈낮 (등 뒤에서)〉(쥴리아노 데 메디치 무덤의 부분),
1526-1533. 대리석. 길이 : 285cm.
메디치 예배당, 산 로렌초, 피렌체.

다음 페이지들 :
1. 〈벽의 장식〉(부분)
메디치 예배당, 산 로렌초, 피렌체.

2. 쥴리아노 데 메디치 갑옷의 부분
대리석. 높이 : 173cm.

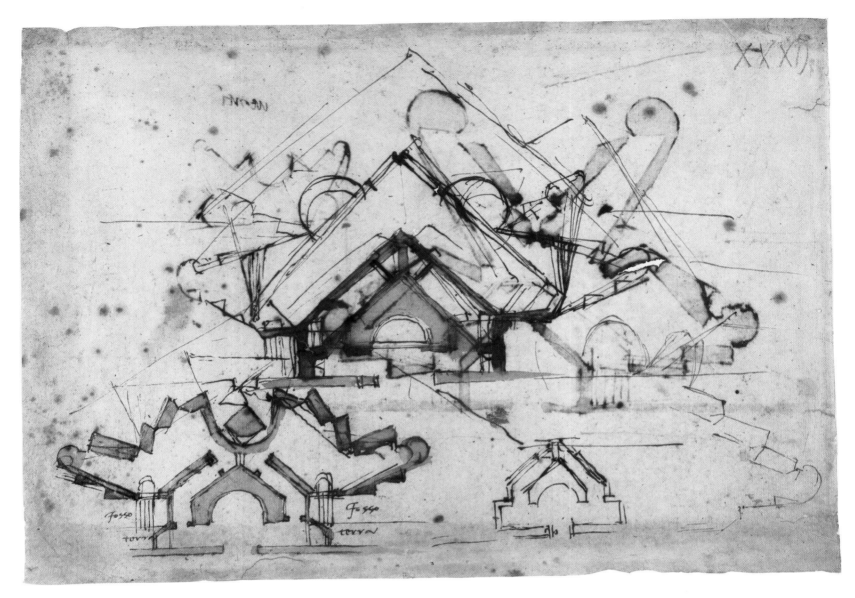

로마 공략에 이어 메디치 가가 피렌체를 떠난 1527년 이후, 다시 한번 공화정이 세워졌다. 미켈란젤로는 단순히 시민의 자격으로 도시의 군사적 방어를 연구하겠다고 나섰다. 그는 1528년 가을에 성채 전문가로서 봉사를 한다. 그는 피렌체의 여러가지 문을 위한 수많은 계획을 제시하지만, 니콜로 카포니 장관이나 그 후계자인 프란체스코 카르두치 등은 그 계획들을 받아들이지 않는다. 1529년 교황과 독일 황제 칼 5세에 의해서 도시가 공략될 것을 예감하면서 미켈란젤로는 몇 주일 앞서 페라라를 거쳐 베네치아로 피신을 한다. 공략이 시작되기 사흘 전에 미켈란젤로는 용서를 해 준다면 다시 돌아가고 싶다는 뜻을 교황청에 비춘다. 11월말 미켈란젤로가 돌아왔을 때 도시의 일부는 이미 함락되었고, 1530년 8월 12일 항복을 할 때까지 그는 능동적으로 피렌체 방어를 위해 노력한다.

1과 2.
피렌체의 요새를 위한 스물세 점의 데생(이들은 모두 부오나로티 저택에 보관되어 있다)은 군사방어술에 있어서 혁신적인 것이었다. 미켈란젤로는 동물형태학을 채택하여 대부분 선을 사용했는데 그 기능은 적의 대포를 성문에서, 따라서 도시에서 가장 멀리 떨어져 있는 곳에 놓을 수 있다는 것이었다. 이들은 돌이 아니라 다져진 흙으로 만들게 되어 있었다. 이 설계도는 이후의 성곽축성에 큰 영향을 미쳤다. 17세기에 보반은 여기에서 영감을 얻은 바가 크다.

1. 〈어떤 문의 축조를 위한 습작〉
카사 부오나로티, 피렌체.

2. 〈오니산티 예배당의 축조를 위한 습작〉
잉크와 붉은 연필, 담채. 41×56.8㎝.
카사 부오나로티, 피렌체.

3. 〈피렌체 공략〉 G. 바사리.
베키오 궁, 피렌체.

"1529년 피렌체의 공략이 있었다.… 시민들은
그에게 산 미니아토의 언덕 너머의 지역에까지 이르는
성곽을 만들어 줄 것을 요구했다. 그는 공화정에
많은 돈을 내놓았고 아홉 명의 의용병 가운데 하나로
지목되어 이 성곽을 완성하기 위해 온 힘을 다했다."
—바사리

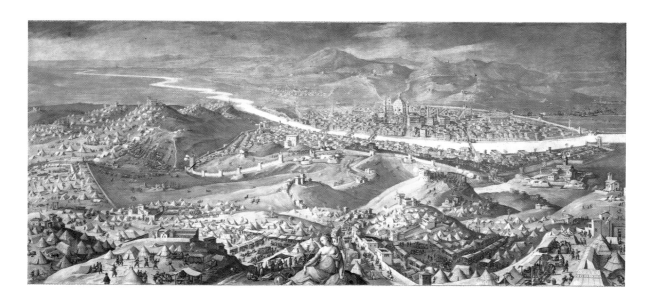

라우렌치아나 도서관

미켈란젤로와 그 해에 클레멘테 7세라는 이름으로 교황에 선출된 쥘리오 데 메디치 사이에 처음으로 협상이 이루어진 것은 1523년 가을이었다. 메디치 가는 그들의 귀중한 원고와 책들을 모두 모아 놓기 위해서, 산 로렌초의 수도원 안에다가 새 도서관을 지을 계획을 세운다. 1516년에서 1518년 사이에 미켈란젤로는 이미 메디치 가를 위하여 그들의 능묘로 쓰일 산 로렌초 성당의 정면을 위한 거대한 건축계획을 작성한 바 있었다. 그 계약은 1520년에 파기되었고, 영원히 실행에 옮겨지지 않을 것이었다. 그런데 그 라우렌치아나 도서관을 위해서 메디치 가에서 또다시 선택한 건축가는 미켈란젤로였다. 그 일은 여러 해 동안 실행에 옮겨졌다. 1524년 여러 차례의 계획변경이 있은 후, 작업은 1527년 로마 공략으로 이어지는 정치적 동요로 인해서 중단이 된다. 이 일은 1530년 공화정이 물러간 후 독일황제 칼 5세의 도움으로 메디치 가가 돌아온 후에 재개된다. 이 도서관은 건축적으로 상호보완적이면서도 구별이 되는 두 단계로 나뉘어진다. 현관은 길에서 도서관으로 들어오는 통로에 해당하며 방문객을 맞아―그 간소한 건축 양식 자체만으로도 사람들은 정신을 집중하게 된다― 열람실로 들어갈 준비를 하게 한다. 현관의 벽에 회색빛의 청정한 돌을 사용함으로써 미켈란젤로는 건축적인 공간 배분에 신경을 썼다. 기둥과 난간, 조각품을 진열할 벽감, 삼각면 등이 이 공간을 심심하지 않게 만든다. 악보의 늘임표를 닮은 이 '은신처'의 공간은 폐쇄된 공간 안에서 고안된 매우 기념비적인 계단이다.

2.
예술과 학문에 뛰어났던 미켈란젤로의 종손은 부오나로티 저택을 17세기(1612-1643)의 피렌체 예술가들로 하여금 장식하도록 하였다. 그들은 일반적인 예술과, 특히 예술가로서의 미켈란젤로와 관계가 있는 장면들을 재현했다. 화가 자코포 키멘티는 여기서 피렌체와 관련된 건축물의 설계도를 제시하고 있다.

---

1. 앞에서 본 〈계단〉(미켈란젤로와 바르톨로메오 암만나티)
라우렌치아나 도서관, 피렌체.

2. 〈레오 10세에게 산 로렌초 성당의 외관과
라우렌치아나 도서관의 여러 건축물들을 위한
자신의 계획을 설명하는 미켈란젤로〉
자코포 키멘티, 일명 랑폴리. 1619.
캔버스에 유채. 카사 부오나로티, 피렌체.

3. 위에서 본 〈계단〉
라우렌치아나 도서관, 피렌체.

상처 없는 예수

시스티나 예배당의 작업이 끝난 후 이 년만인 1514년, 미켈란젤로는 메텔로 바리라는 친구의 주문에 따라 〈부활한 예수〉를 제작한다. 오늘날에는 분실되고 없는 맨 처음 시도했던 작품은 대리석의 홈 때문에 버리게 된다. 시커먼 줄이 얼굴 부분을 가로지르고 있었기 때문이다. 두번째 작품이 1519년에서 1520년 사이에 만들어졌지만, 이 역시 많은 어려움을 겪었다. 이 조각이 로마에 도착했을 때에 조각가 피에트로 우르바노가 다시 손을 본다. 미켈란젤로가 공을 들여 만든 예수의 형상은 '자연스러움, 위대함, 서 있는 나신, 양 손으로 십자가를 끌어안고 있는 모습 등 미켈란젤로가 적당하다고 판단한 포즈'로 제작하도록 규정한 계약에 충실한 것이었다. 사실 그 포즈는 전통적인 것이 아니었다. 예수는 십자가를 끌어안고 있었지만 상처는 없었기 때문이다. 그것은 고통을 겪는 예수라기보다는 아폴론의 모습에 더 가까웠다.

〈메디치의 성모〉를 위해서 미켈란젤로는 〈승리〉를 예고하는 높고 길쭉한 형태를 채택한다. 아기 예수는 강한 움직임을 보이며 성모의 한 쪽 무릎 위에서 어머니의 젖가슴을 향해 돌아앉으려 하고 있다. '성모자'라는 주제를 여러 번 다루었지만 미켈란젤로가 모성을 다룬 것은 이번이 처음이다. 성모의 옷은 젖어 있는 옷감의 효과를 내는 고대의 옷주름처럼 몸을 휘감고 있다. 두 명의 공작은 성모를 향해 앉아 있다. 미켈란젤로는 이러한 표현방법에 의해 이 인물들을 엮어 놓고 있다. 공작들은 자신들이 죽은 다음 마침내 육체의 감옥에서 벗어나 해방되었을 때의 영원한 삶의 이미지인 성모를 응시하고 있다.

1.
〈부활한 예수〉를
고통스러운 표정없이
고요하게 그려냄으로써
미켈란젤로는 이 주제에 대한
새로운 해석을 내리고 있다.

2.
〈메디치의 성모〉는
메디치 예배당의 제단
맞은편 벽에 놓여 있다.
여기서 미켈란젤로가
만들어내고 있는 이미지는
젖을 먹이고 있는
어머니의 이미지이다.

3.
이 밑그림은 두 개의 커다란
종이를 붙여서 그린 것인데,
이미 알려져 있는 미켈란젤로의
어느 작품과도 일치하지 않는다.
그러나 이는 〈메디치의 성모〉에서의
모성의 주제를 다시 담고 있다.
이 작품은 붉은 연필로 그려졌으며
회화기법과 유사한 방식으로
'마무리'되어 있다.

1. 〈부활한 예수〉 1520.
대리석. 높이 : 205cm.
산타 마리아 소프라 미네르바 성당, 로마.

2. 〈메디치의 성모〉 1521년에 시작.
대리석. 받침대 포함한 높이 : 226cm.
메디치 예배당, 산 로렌초, 피렌체.

3. 〈성모자〉 1520년경.
검은 돌, 붉은 연필, 백연과 잉크. 54.1×39.6cm.
카사 부오나로티, 피렌체.

미켈란젤로가 창조해낸 이 새로운 스타일은, 시스티나 예배당의 원형 천장과 〈최후의 심판〉에 작품화되어 있으며, 그 다음 세대의 피렌체 예술가들에게 커다란 영향을 미친다. 바사리가 '마니에라(수법)'라고 부른 이 새로운 조형언어는 16세기에 있어서 조각과 회화예술을 새롭게 만든다. 폰토르모는 미켈란젤로가, 특히 〈최후의 심판〉이 기여한 바를 가장 잘 받아들인 예술가이다. 그는 오늘날에는 파괴되고 없지만 피렌체의 산 로렌초 성당 내부에 그것을 옮겨 놓는다. 자료로 입증된 바는 없지만, 이 두 예술가는 지적으로나 인간적으로 우정을 나누고 있었던 것이 거의 확실하다. 미켈란젤로가 대략 1532년에서 1533년 사이에 제작한 〈비너스와 큐핏〉이라는 신화적 일화를 재현한 작품을 자신의 밑그림에 따라서 완성하도록 맡긴 사람도 폰토르모이다. 미켈란젤로의 〈사회악(더러운 여인이 예수의 몸에 손을 대는 그

유실된 몇 점의 미켈란젤로 작품에 관한 추억

림)〉이라는 종이그림은 다른 두 점의 유화를 낳는다. 그 가운데 하나는 폰토르모의 것이고(개인 소장, 밀라노), 다른 하나는 그의 제자인 브론치노의 것이다. 폰토르모의 화실에서 브론치노는 어린 시절부터 그의 스승이 사망할 때까지 화실에서 우두머리 역할을 한다. 폰토르모가 비판을 요구하는 것도 그에게였던 것 같다. 〈레다와 백조〉를 재현한 그림은 페라라의 공작인 알폰소 데스테가 주문한 것이다. 그는 1529년 미켈란젤로가 피렌체로 피신해 있을 때 자신의 집에 머물게 해 주었던 사람으로, 오래 전부터 피렌체의 유명한 화가의 작품을 갖고 싶어했다. 그러므로 미켈란젤로가 맡은 이 일은, 페라라에 있는 공작의 집을 장식하는 신화적인 그림을 세 개나 그린 티치아노와 경쟁을 벌이는 일이었다. 공작이 보낸 사람의 거만한 태도에 화가 난 미켈란젤로는 그에게 그림을 주지 않고 자기 제자인 안토니오 미니에게 선사했다. 그는 이것을 프랑스로 가져 왔고, 롯소 피오렌티노가 그것을 모사했다.

1. 〈레다와 백조〉(미켈란젤로의 그림에서), 1538년경.
롯소 피오렌티노.
밑그림. 검은 연필. 170.7×248.8cm.
왕립미술아카데미, 런던.

2. 〈비너스와 큐핏〉 1532-1534. 폰토르모.
패널에 유채. 128×197cm.
아카데미 미술관, 피렌체.

3. 〈사회악〉(미켈란젤로의 분실된 밑그림에서), 1531년 이후.
브론치노. 패널에 유채. 175×134cm.
카사 부오나로티, 피렌체.

4. 〈레다의 얼굴을 위한 습작〉 1530년경.
붉은 연필. 35.5×26.9cm.
우피치 미술관, 피렌체.

4.
붉은 연필로 그려진 이 아름다운 두상 습작은 〈레다〉의 그림을 위해 보존되어 있는 유일한 친필 유적이다. 미켈란젤로는 이것을 화실의 한 소년을 보고 그렸던 것 같다. 목 부분에 남자의 웃저고리 같은 것이 보이기 때문이다. 눈을 커다랗게 되풀이해서 그린 매우 아름다운 이 그림은 미켈란젤로 데생 예술의 새로운 본보기 구실을 한다.

율리우스 2세 무덤의
새로운 단계

"신성을 지닌 예술가가
만일 누군가의 얼굴과
몸짓을 착상해냈다면 그는
이중의 능력(정신과 손의)을
가지고 미천한 모델을 매개로
돌에 생명을 부여할 수
있을 것이다."

1532년 율리우스 2세의 무덤을 위한 다섯번째 계획은 그 완성을 위한 매우 주요한 단계였다. 미켈란젤로는 그 무덤을 자신의 의도대로 구성하기 위해 다시 허락을 얻어낸다. 이미 만들어 놓은 조각품들을 다시 사용해야 했음에도 불구하고, 그는 그 중 몇 개를 새 작품으로 대치했다. 첫번째로 완성된 〈승리〉는 뾰족하고 길다란 형태에 구불구불한 선으로 되어 있으며, 메디치 가의 무덤를 위한 일련의 조각품들과 같은 스타일이다. 시작하다 만 네 개의 노예상은 무덤의 아래 부분에 놓일 예정이었음에 틀림없다. 연대 추정에 대해서는 논란의 여지가 많다. 일반적으로는 미켈란젤로가 이 네 개의 조각을 1519년에서 1534년 사이에 제작했다고 여겨지고 있으나, 이 작업의 대부분은 1532년에서 1534년 사이에 이루어진 것으로 보인다.

〈승리〉는 우아한 팔다리를 가진 늘씬한 젊은이를 재현하고 있다. 그는 대충 손질된, 그러니까 인물의 형태가 분명히 드러나지 않은 패자 위에 무릎을 올려 놓고 있다. 파노프스키에 따르면, 이 작품은 카발리에리와의 관계를 환기시키는 미켈란젤로의 자전적인 암시를 나타내고 있다고 한다. 미켈란젤로가 〈최후의 심판〉을 시작했을 때 이 무덤은 여전히 미완성 상태였고, 결국 1542년에 가서야 끝이 난다.

2.
아직 재료 속에 갇혀 있을 뿐인
이 조각의 초벌작업 상태는
사로잡혀 있다는 감정을 강조한다.
이것이, 또 하나의 감옥으로 느껴지는
인간 존재의 상징이 되는 것은
그 다음 단계의 일이다.

3과 4.
〈승리〉를 상징하는
인물의 형상은
〈다윗〉과 같은
미켈란젤로 젊은 시절의
조각들과 유사하다.

1. 〈율리우스 2세의 무덤〉
대리석. 산 피에트로 인 빈콜리, 로마.

2. 〈깨어나는 노예〉 1530년에서 1534년 사이.
대리석. 받침대를 포함한 높이 : 267cm.
아카데미 미술관, 피렌체.

3과 4. (부분)
〈승리〉 1532?
대리석. 높이 : 261cm.
베키오 궁, 피렌체.

바사리는 미켈란젤로가 1532년에 만난 로마의
귀족 토마소 카발리에리를 위해서 제작한 '교습용
데생'의 목록을 제공하고 있다. 빼어난 용모를 지닌
이 젊은이는—미켈란젤로는 그의 초상화를 그렸으나
오늘날에는 남아 있지 않다—여러 편의 소네트와
편지들을 통해서 알 수 있듯이 그에게 플라토닉한
사랑의 감정을 일으켰다.

1.
〈아이들의 주신제〉는 도상학적으로
보아 불가사의하다. 이 장면은 아마
어떤 동굴 같은 곳에서 일어나고
있는 것 같다. 전면에 타락한
모습을 한 두 명의 성자가 보인다.
가운데에는 큐핏을 나타내는
아기 천사들이 사슴의 껍질을 들고
화롯가로 가고 있다.
이 아기 천사들에게는 날개가 없다.
이는 이 장면을 도덕적인
알레고리로 간주하도록 만든다.

1532년 말경에 미켈란젤로는 독수리가 간을 쪼아
먹으려고 하여 고통당하고 있는 〈티토스〉와, 하늘에
서 넋을 잃고 바라보는 〈가니메데스〉의 데생을 그에
게 준다. 이들 모두 사랑의 고통을 상징하고 있다.
유일하게 제우스가 올림피아에 받아들여 준 가니메
데스는 남성들간의 사랑을 플라톤에게 정당화시키고
있는 반면, 티토스는 거대한 한 마리 새가 그의 간
(정념의 중심부)을 쪼아 먹는 것으로 상징된 사랑의
고통을 겪는다. 〈파에톤의 추락〉은 오비디우스의
서사시 『변형』에서 끌어온 것으로, 파에톤이 제우스
의 벼락을 맞고 태양 마차를 주체하지 못하여 에리단
으로 떨어져내리는 일화를 재현한 것이다. 그 아래로
는 그의 누이들이 포플라나무로, 그리고 그들의 사촌
은 백조로 변하는 모습이 보인다.

3.
이 작품 역시 고대 조각에서
그 근원을 찾을 수 있다.
그리고 로마의 카발리에리 장원
근처에서 볼 수 있는 이 테마를
재현한 석관의 부조를 연상시킨다.

1. 〈아이들의 주신제〉 1533년경.
검붉은색 연필. 27.4×38.8cm.
왕립도서관, 원저.

2. 〈티토스의 징벌〉 1533년경.
검은 돌. 19×33cm.
왕립도서관, 원저.

3. 〈파에톤의 추락〉 1533년경.
검은 돌. 41.3×23.4cm.
왕립도서관, 원저.

2.
〈티토스〉는 고대조각,
특히 당시 파르네제 콜렉션에
들어 있던 〈넘어진 거인〉의 '주제'를
입증한다. 이 데생의 뒷면에는
부활한 그리스도의 스케치가
그려져 있다.

"미켈란젤로는 로마 귀족 출신의
훌륭한 젊은이 토마소 카발리에리에게
특히 마음이 끌렸다. 그에게 데생을
가르치기 위하여 그는 절묘한 인물들을
붉은색과 검은색의 연필로 그려 주었다.
그는 이 젊은이에게 하늘에서
주피터의 독수리에 반한 가니메데스를,
커다란 새에게 간을 파먹히는 티토스를,
태양마차와 함께 떨어지는 파에톤의 추락을,
그리고 아기천사들의 주신제를 그려 준다."
─바사리

'구원에 넋을 잃은 나의 영혼'

1.
피렌체의 화가이며
안드레아 델 사르토의 제자인
자코피노 델 콘테(1510-1598)는
1535년경 로마에 정착한다.
그는 로마 귀족에게 봉사하기
시작하고 많은 초상화를 그린다.
비록 미완성이긴 하지만
미켈란젤로의 이 초상화는 매우
노련한 솜씨를 보여주고 있으며,
〈최후의 심판〉을 제작할 당시의
그의 모습을 아주 사실적으로
담고 있다.

미켈란젤로는 인생 후반기의 약 삼십 년 동안, 즉 그가 로마로 돌아온 1534년부터 1564년 사망할 때까지의 삼십 년 동안 특히 건축과 시에 그의 예술 활동을 집중시킨다. 그때부터 그는 이탈리아의 예술에서 필적할 만한 상대가 없는 제 일인자로 꼽힌다. 1535년 그는 '교황청 최고의 건축가, 조각가 그리고 화가'로 임명되었고, 1537년에는 로마 귀족의 자격을 인정받는다.

미켈란젤로는 〈최후의 심판〉을 처음으로 주문한 교황 클레멘테 7세가 죽기 며칠 전에 로마에 도착한다. 새 교황 바오로 파르네제 3세는 전임자의 계획을 이어받는다. 작업은 로마 공략 몇 년 후인 1535년 11월 8일에 가서야 시작되어 육 년간 계속된다. 사실 클레멘테 7세는 칼 5세에게 기울어져 있었던 것 같고, 1530년에는 그를 황제로 추대한다. 교황 클레멘테 7세가 사망한 후 바오로 3세는 로마와 교회의 권위를 회복하려고 노력을 하며, 미켈란젤로에게 여러가지 주문을 한다. 미켈란젤로가 작성한 첫번째 계획은 기존의 장식들을 염두에 둔 것이었다. 페루지노가 그린 제단용 그림과 두 개의 벽화, 역대 교황들의 초상, 그리고 천창의 벽화 등이 그것이다. 그런 다음 그는 제단의 벽면 전체를 차지하기 위하여 빽빽하게 나체의 인물들을 그룹으로 나누면서 이 기존의 장식들을 크게 희생시킨다. 이 인물들은 권위와 역동성을 나타내는 커다란 팔의 움직임이 돋보이는 예수를 중심으로 조직된다. 그 옆으로 연민의 상징인 성모가 심판을 기다리며 부활한 자들에게로 얼굴을 돌리고 있다. 벽화의 왼쪽 부분에는 성자들의 아래쪽에 저주받은 자들의 추락하는 움직임이 나타나 있다. 이들은 광폭한 눈길로 주변의 사람들을 위협하는 카론이 이끄는 나룻배에 짐짝처럼 실린 채 저승의 삼도내를 건너고 있다. 천창을 새로 제작하면서 미켈

1. 〈미켈란젤로 부오나로티〉 자코피노 델 콘테.
나무판에 유채. 88.3×64.1cm.
메트로폴리탄 미술관 (클래런스 딜론 기증), 뉴욕.

2. 부분을 보여주는 〈최후의 심판〉의 구상. (다음 페이지들)

3. 〈성 바돌로매〉(〈최후의 심판〉의 부분)
시스티나 예배당, 바티칸.

3.
성 바돌로매는 자신들이
이 지상에서 짊어져야 할 형벌기구를
휘두른 순교자들의 무리에 속한다.
그는 산 채로 살갗이 벗겨졌다.
이것이 바로 그가 자신의 껍질 —
여기서 우리는 미켈란젤로의 자화상을
본다 — 을 내밀고 있는 이유다.

1.
알렉산드레 파르네제 추기경을 위해 제작된
이 모사화는 〈최후의 심판〉의 원래 상태와 똑같다.
여기에는 나중에 작품을 변질시키게 되는
반종교개혁에 강요되어 수정한 부분이 없다.
시스티나 예배당의 원형 천정의 그림들처럼
〈최후의 심판〉도 나중에 일련의 모사화들을 낳게 된다.

1. 〈최후의 심판〉 1549. 베누스티.
나무판에 유채. 187.5×144.5㎝.
카포디몬테, 나폴리.

2. 〈최후의 심판〉 1536-1541.
프레스코. 17×13.3m (받침 포함).
시스티나 예배당, 바티칸.

수치스런 부분을 덧칠로 가려 버리다

다음 페이지들 :

1. 〈부활〉(〈최후의 심판〉의 부분), 1536-1541.
프레스코, 시스티나 예배당, 바티칸.

2. 〈부활한 사람들〉(〈최후의 심판〉의 부분), 1536-1541.
프레스코, 시스티나 예배당, 바티칸.

란젤로는 매우 아름다운 회전운동 속에서 정념의 악기를 들고 있는 요정들을 재현한다. 1541년, 작품 전체가 알려지자 모든 면에서 비판이 터져 나왔다. 교회측과 일부 관계자들은 "벌거벗은 인물들이 치부를 내보이고 있는 그림은 이러한 장소에 적합하지 않다"고 비난했다. 미켈란젤로에게는 이 인물들은 장엄함과 건강미가 이루어내는 완벽한 조화를 재현하는 것이었다. 〈최후의 심판〉에 관한 엄격한 개념은 당시 점점 더 고뇌에 빠져 영혼의 구원문제에 전념하던 미켈란젤로의 정신상태와 일치한다. 〈최후의 심판〉은 그가 비토리아 콜로나가 가담하고 있던 몇몇 개혁파 인문주의자들의 관점에서 보기 시작한 카톨릭 정신의 표현이다. 이들은 로마 교회와 프로테스탄트들 사이에서 타협을 끌어낼 수 있는 개혁을 작품화하고자 했다. 미켈란젤로의 이 모든 생각들은 그의 말년에 열렬한 천주교 정신으로 이어지며, 이는 그의 시편들에도 잘 나타난다. "성난 바다 위의 허름한 배와도 같은 내 인생의 흐름은 벌써 하구에 다다랐다. 그곳은 좋고 나쁜 모든 행동을 설명하는 곳이다. 그래서 나는 이제 예술을 나의 우상, 나의 왕으로 삼았던 고약한 상상들이 얼마나 심하게 잘못된 것이었던가를 알 수 있다. 그리고 나는 인간이 얼마나 선을 거스르는 일에 대한 욕구로 가득 차 있는가도 알고 있다. 전에는 덧없지만 달콤했던 사랑의 근심들은 내가 이중의 죽음으로 다가가는 이 때 무엇이 될 것인가. 한쪽(육체의 죽음)에 대하여 나는 확신이 있다. 그러나 또다른 죽음은 나를 위협한다. 그림을 그리는 일도 조각을 하는 일도 이제는 우리를 받아들이기 위해 십자가에서 두 팔을 벌리고 있는 신의 사랑을 향해 완전히 돌아서 있는 내 영혼을 위로할 수 없다."

1. 〈카론의 나룻배〉(〈최후의 심판〉의 부분), 1536-1541.
프레스코. 시스티나 예배당, 바티칸.

다음 페이지들 :
〈두 사람〉(〈최후의 심판〉의 부분), 1536-1541년경.
프레스코. 시스티나 예배당, 바티칸.

신들의 얼굴

2.
미켈란젤로의 〈클레오파트라〉는 아마도
〈시모네타 베스푸치의 초상〉에서 영감을
얻은 것 같다. 바사리가 말한 바에 따르면
피에로 디 코시모의 이 초상화는 6세기,
프란체스코 다 산갈로(쥘리아노 다 산갈로의
아들)의 성에서 발견되었다고 한다.

바사리가 '신들의 얼굴'이라고 부른 일련의 데생
들은 그 주제의 낯설음과 새로움이 놀랍다. 이들
남성과 여성들의 얼굴은 미켈란젤로가 고대의 표지를
붙여 놓은 초상화들로 보인다. 아마도 피에로 디
코시모의 〈시모네타 베스푸치의 초상〉에서 영감을
얻었을 〈클레오파트라〉는 이러한 가설을 예시해
준다. 젊은 여인의 벗은 흉상은 팔이 없이 '고대풍'
으로 다루어지고 있다. 게다가 미켈란젤로는 고대사
를 매우 중시했다. 이집트 여왕인 클레오파트라는
일부러 살무사에 물려 자살했다. 그는 뱀을 순전히
장식적으로 보이게 하는 피에로 디 코시모의 초상화
와 같은 주제상의 모호함은 조금도 나타나 있지 않
다. 반면 그는 코시모처럼 머리채 부분에 특별히
공을 들여 복잡하게 그린다. 보통 〈저주받은 영혼〉
이라고 불리는 데생은 게라르도 페리니라는 수취인의
이름을 나타내는 문구를 담고 있다. 미켈란젤로가
남긴 편지에 의하면, 그에게 세 개의 데생을 선사하
려고 했으며 이는 그 중의 하나에 해당한다. 울부짖
는 이 얼굴 ― 너무나도 뛰어난 표현 ― 은 아마도
저주받은 영혼의 수사학으로 해석될 수 있을 것 같
다. 터번을 두른 소녀의 얼굴은(우피치 미술관, 피렌
체) 오늘날 옥스포드의 애쉬몰리안 박물관에 있는
고대의 작품을 훌륭하게 모사한 것이라고 여겨지고
있다. 이 작품은 미켈란젤로에게 데생에 있어서 커다
란 명성을 안겨 주었다. 그리고 시스티나 예배당의
작품들처럼 많은 사람들이 그것을 칭찬하고 모사
하기에 이른다. 그가 이 이상적인 얼굴을 만들어낸
것은 시스티나 예배당의 작품들과 비슷한 시대로
추정된다. 왜냐하면 그것은 성서의 한 인물을 재현한
것으로 보이기 때문이다.

1.
토마소 카발리에리를 위해
제작한 이 그림은 그가
코시모 데 메디치 공작에게
선사했다. 1562년 1월 20일에
쓴 어느 편지에서 카발리에리는
'내 자식 한 놈을 잃는 것
같았지만' 눈물을 머금고
이 그림을 선물했음을
밝히고 있다.

1. 〈클레오파트라〉 1533-1534.
검은 돌.
우피치 미술관, 피렌체.

2. 〈시모네타 베스푸치의 초상〉 1480년경.
피에로 디 코시모. 나무판에 유채. 57×42cm.
콩데 박물관, 샹티이.

다음 페이지들 :
1. 〈저주받은 영혼〉 1525년경.
검은 잉크. 35.7×25.1cm.
우피치 미술관, 피렌체.

2. 〈여인의 두상〉(미켈란젤로의 그림 모사)
우피치 미술관, 피렌체.

로마 교회의 창설자,
베드로와 바울

"이는 그가 일흔다섯의 나이에 그린
마지막 그림들이다. 그는 어느날
피로에 지쳐 내게 이렇게 말했다.
나이가 들면 그림, 특히 벽화는
늙은이가 할 수 있는 예술이 아니라는
것을 알게 된다고."——바사리

최〈후의 심판〉의 작업이 끝난 후 바오로 3세는
미켈란젤로에게 조카인 안토니오 다 산갈로가 지은
그의 개인 예배당인 파올리나 예배당을 위해서 두
개의 벽화를 주문한다. 첫번째 벽화는 아마 1542년에
시작하여 1545년에 완성된 〈성 바울의 개종〉이었던
것 같다. 그 다음 해에 그는 두번째 벽화를 시작하는
데, 이 작업은 1550년대초까지 계속된다. 제단을

1. 2 그리고 3.
"…미켈란젤로는 완벽함만을
생각했다. 그는 풍경, 나무, 건물,
그리고 회화의 장식적인 요소들을
모두 제거했다. 그렇게 함으로써
스스로 격하되거나 자신의 재능이
이러한 것들로 인해 세속화하는 것을
거부했다." (바사리) 사실상 구성은
몇몇의 커다란 선으로 축소되었고
하나의 커다란 황무지가 지평선을
대신했다.

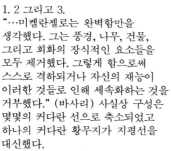

1.(부분)과 2.
〈성 베드로의 수난〉 1545-1550.
프레스코. 625×661cm.
파올리나 예배당, 바티칸.

3과 4. (부분)
〈성 바울의 개종〉 1542-1545.
프레스코. 625×661cm.
파올리나 예배당, 바티칸.

향하고 있는 두 작품은 로마 교회의 창설자인 두
사제에게 바쳐져 있으며, 그들 각자의 생애의 단면인
개종과 박해를 표현하고 있다. 〈성 바울의 개종〉은
신의 은총으로 말에서 떨어지는 전통적인 수법으로
재현되고 있다. 벽화 윗 부분의 소용돌이 속에서
예수가 나타나고, 은총의 행위는 병사들 속에서 성
바울이 있는 방향으로 떨어지는 노란 빛으로 표현
되어 있다. 여기서 전통적인 수법과는 반대로 그가
살아오면서 저지른 모든 잘못을 자책하고 있는 듯
한, 신에 의해 땅 위에 쓰러져 있는 성 바울은 늙은
이로 재현되어 있다. 성 바울의 몸의 곡선은 강물
의 형상으로 신을 표현하는 고대의 수법을 연상시
킨다.
　〈성 베드로의 수난〉은 역사에 충실한 것이며, 고개
를 숙이고 십자가에 못박힌 이 성인의 박해를 재현하
고 있다. 사실 성 베드로는 스스로를 예수와 꼭같은
박해를 받을 만하다고 느끼지 않았으므로 몹시 괴로
워했다. 그럼에도 불구하고 미켈란젤로는 고개를
들고 사람들에게 시선을 주고 있는 모습으로 그를
재현할 방법을 찾아냈다. 그렇게 해서 그러한 모습은
그의 작품의 중심을 이룬다.

마지막 건축 작품들

바오로 3세는 1549년 미켈란젤로를 '성 베드로 성당의 건축가이자 최고책임자'로 임명한다. 작업을 시작할 때 그의 나이는 71세였다. 성 베드로 성당 건축의 역사는 율리우스 2세 치하에서 브라만테로부터 시작된다. 그가 죽자 1520년까지는 라파엘로가 작업을 맡았고, 그 후 안토니오 다 산갈로 2세가 그 뒤를 이어 죽을 때까지 계속한다. 1546년, 그가

죽자 미켈란젤로가 작업의 지휘를 맡으면서 둥근 지붕의 건축에 특별한 관심을 보인다. 이를 위해서 그는 피렌체에 있는 브루넬레스키의 산타 마리아 델 피오레 성당에서 영감을 얻는다. 높은 원통형 석재 위로 둥근 지붕을 올리는 아이디어는, 옥상누각의 채광창이 주요한 기능을 하는 높고 뾰족한 형태를 만들어냈다. 미켈란젤로가 죽을 때 둥근 지붕은 원주가 놓여지는 단계에 있었다. 날개 부분의 남쪽 외진은 이미 끝났고, 북쪽 부분은 원형 천정까지 진행되었으며, 서쪽 부분은 겨우 시작하고 있었다. 그의 건축활동은 거기서 멈추지 않는다. 그는 산 지오반니 데이 피오렌티니 성당을 위한 설계와 디오클레치아노의 공중 목욕탕을 교회로 개축하기 위한 설계를 그림으로 그려 준다. 시청 광장의 재정비를 위한 도면은 1548년 이전에 확정되나, 극히 일부분만이 그가 살아 있는 동안 실현된다. 성 베드로 성당을 위한 작업과 병행해서 그는 또 파르네제 궁의 건축을 맡는다. 그리고 죽기 몇 년 전에는 피아의 문을 위한 설계도를 내놓는다.

2.
티치아노—미켈란젤로는 그가 데생을 좀더 완전히 구사할 수만 있었다면 가장 위대한 화가가 되었을 것이라고 생각했다—는 커다란 영광을 누렸던 화가였다. 훌륭한 초상화가였던 그는 로마에 머무르는 동안 교황과 그의 종손들의 초상화를 그렸는데, 날카로운 심리적 묘사가 돋보인다.

1. 시청 광장의 사진. 로마.

2. 〈바오로 파르네제 3세와 종손인 알레산드로와 오타비오〉 1546.
티치아노, 캔버스에 유채. 200×173cm.
카포디몬테, 나폴리.

3. 둥근 지붕의 사진.
성 베드로 성당, 바티칸.

"교황은 미켈란젤로에게 '피아의 문'을 위한 설계를 요구했고,
그는 유례없이 아름다운 세 개의 설계도를 만들어서 내놓는다.
교황이 그 중에서 가장 부담이 적은 것을 골라서 실행에 옮긴 것이
오늘날 격찬을 받고 있는 문이다." ──바사리

1.
로마에 있는 오늘날의 세템브레
거리 맨 끝에 이 문을 세우는
일은 이 지역을 혁신하기 위해
교황이 추진하고 있던 계획의
일부였다. 미켈란젤로는 그가
세상을 떠나기 삼 년 전인
여든여섯 살에 이 일을 했다.
많은 데생들이 미켈란젤로가
이 주문에 대해 가졌던 관심을
보여준다.

2.
이 데생은 미켈란젤로와
비토리아가 주고받은 편지 속에서
여러 번 언급되었다. "나는 당신이
이 예수상을 그릴 수 있도록
신께서 당신에게 초자연적인
은총을 내리시기를 정성을 다해
기도했습니다. 그리고 나서 나는
이처럼 아름다운, 뭐랄까 내 기대
수준을 훨씬 웃도는 너무나도
감탄스러운 이 작품을 보게
되었습니다. … 나는 오른쪽에
멀리 보이는 천사가 가장
아름답고 무척 마음에 든다는
것을 당신에게 말하고 싶습니다.
그것은 바로 당신 이름과 같으며,
주님께서 수난당하시던 그 날
그 분의 오른편을 지키게 될 미카엘
천사이기 때문입니다."
(미켈란젤로라는 이름은 미카엘
천사라는 뜻의 이탈리아식
표기이다)

1. 〈피아의 문을 위한 습작〉
(인물 소묘 위에 겹쳐서 그림), 1561년경.
검은 돌, 펜, 갈색 잉크, 붓, 갈색 담채와 흰색 과슈. 44.2×28.1㎝.
카사 부오나로티, 피렌체.

2. 〈비토리아 콜로나를 위해 그린 예수의 수난〉 1538-1541.
검은 연필. 37×27㎝.
대영박물관, 런던.

15 36년에 알게 된 페스카라의 후작 부인, 비토리아 콜로나와의 우정은 미켈란젤로의 정신적 진보에 주요한 영향을 미친다. 비토리아 콜로나는 남편이 죽은 후 수도원에 묻혀 계속 글을 썼고, 수 년간 로마와 기독교 세계를 흔들고 있는 문제에 골몰해 있었다. 비테르보에 있는 산타 카타리나의 이 수도원에는 영국인 레지날드 포울 추기경을 중심으로 미켈란젤로를 포함한 일군의 인문주의자들이 모여 있었다. 구원의 교리에 몰두해 있던 그들은 자유의지와 신앙에 의한 종교재판이라는 주제를 놓고 토론을 벌였다. 그리고 이러한 문제들과 기독교적인 삶을 위하여 그에 못지않게 중요하다고 판단되는 다른 문제들간의 균형 같은 것을 찾아보려고 애썼다. 1538년 미켈란젤로와 후작 부인은 예술과 종교문제에 관해 이야기를 나누기 위하여 매주 일요일 몬테 카발로에 있는 어느 도미니크 파의 수도원에서 만난다. 프란체스코 데 홀란다가 쓴 『대화』를 보면 그 대강을 알 수 있다. 이 온전한 개혁주의자들은 원칙적으로 『성 바울의 사도서한』에 의지하고 있었다. 이 여인에 대한 사랑과 찬미에 넋을 빼앗긴 미켈란젤로는 그녀에게 '수난'과 '피에타'를 주제로 한 몇몇 작품들과 오늘날에는 그 판화만이 전해지는 〈사마리아 여인〉이라는 작품을 선물한다. 그가 죽을 때까지 개진해 나가는 이 주제들은 그의 종교적인 감정이 고조되고 있음을 말해 준다. 다음과 같은 희생의 개념이 그 첫머리에 인용되어 있다. 십자가에 매달린 채 아직 목숨이 남아 있는 예수는 신을 향해 얼굴을 들고 그를 버리지 말아 줄 것을 애원한다. 피에타 뒤의 십자가 위에 새겨진 비문은 예수가 인간들을 위해서 흘린 피를 환기시킨다. 〈론다니니의 피에타〉는 고통 속에서 인간의 구원을 위한 성모와 예수의 진정한 결합을 보여주는 미켈란젤로의 마지막 메시지이다. 이 작품은 길이를 길게 늘이고 두 개의 몸이 나선형으로 감아 올라가며 뒤얽혀 있는 것이 특징이다. 미켈란젤로는 죽기 며칠 전까지도 이 작품에 매달려 있었다.

1과 2. (부분) 〈론다니니의 피에타〉 1564.
대리석 (미완성). 높이 : 195cm.
스포르체스코 성, 밀라노.

144

새로운 교회를 위해 봉사하며

2.
비토리아 콜로나는 또한 이 그림
〈피에타〉도 가지고 있었다.
성 베드로 성당의 맨 처음
〈피에타〉와는 반대로 예수는
어머니의 무릎 사이에서 천사들이
양팔을 떠받치고 있는 수직적인
자세로 작품의 중앙에 놓여 있다.
십자가 위에는 단테의 시
「천국」의 한 구절이 적혀 있다.
"얼마나 많은 피를 흘렸던가."

"이 세상 덧없는 것들이 신을 명상하기
위해 내게 주어진 시간을 빼앗아갔습니다.
나는 신의 은총을 무시했을 뿐만 아니라,
은총을 받지 못했을 때보다도 더 깊이
죄에 빠져 있었습니다. 신의 은총은 다른
사람들을 현명하게 만들었겠지만, 그것은
저를 맹목적이고 거만하게 만들었으며,
잘못을 깨닫는 데에도 아주 더디게
만들었습니다. 희망은 점차 작아졌지만
자존심 때문에 해방의 욕구는
커져만 갔습니다. 하늘로 오를 수 있는
길은 반으로 줄어들었으며 이 반만 남은
길을 오르기 위해서라도 주여, 당신의
도움이 필요합니다. 세상 사람들이
좋아하는 것을, 내가 사랑하고 찬미하는
세상의 모든 아름다움을 증오하게
하여 주소서. 그리하여 내가 죽기 전에
영생을 얻을 수 있도록."

1.
이 인물들은 미켈란젤로가 자신이
사후에 묻히리라 생각했던 어느
성당의 제단을 위하여 제작한 것이다.
미켈란젤로는 흔히 니고데모와
동일시된다. 그가 죽은 다음 해에
바사리는 레오나르도 부오나로티에게
이 〈피에타〉에 대해서 다음과 같이
쓰고 있다. " … 거기에는
그가 자신의 모습을 재현한
노인 한 사람이 있다." 전설에
따르면 니고데모는 조각가였으며
루카의 궁릉 〈볼토 산토〉를
만든 것으로 알려져 있다.

1. 〈피에타〉 1550년경.
대리석. 높이 : 226cm.
대성당 오페라 박물관, 피렌체.

2. 〈피에타〉 1540-1544년경.
검은 돌. 29×19cm.
이사벨라 스튜어트 가드너 박물관, 보스턴.

영생을 위하여

1547년, 비토리아 콜로나의 죽음은 "그를 오랫동안 미친 사람처럼 얼이 빠져 있게 만들었다"라고 밝히면서, 콘디비는 또 다음과 같이 덧붙이고 있다. "그녀의 이마와 얼굴에 입술 한 번 대보지 못하고, 단지 손에만 입맞춤해 본 채 그녀를 떠나보낸 것보다 더 큰 고통을 그는 일찍이 느껴본 적이 없었다." 수많은 시편들이 미켈란젤로가 후작 부인에게 가졌던 애정을 영원히 증명해 줄 것이었다.

말년에 그가 그토록 열중했던 것은 데생이었다. 시력이 약화되었음에도 불구하고 그는 여러 시간 동안 앉아서 데생을 했다. 오직 예술만을 향해서 그가 이끌어 왔던 검소한 삶은 죽을 때까지 그만의 것이었다. 그가 자신의 제자인 아스카니오 콘디비에게 남긴 다음 문장에서 그것은 아주 잘 나타나 있다. "아스카니오, 그렇게 돈이 많았는데도 나는 언제나 가난하게 살아 왔구나!" 중요한 마지막 작품들은 〈수난도〉 시리즈, 혹은 이 주제에 관한 여섯 개의 변주라고 할 수 있는데, 이들 모두는 그가 종교문제에 몰두하고 있었음을 다시 한번 보여준다. 이 데생들은 죽음을 앞에 두고 늙어가는 미켈란젤로의 변모를 나타내고 있다. 성모와 세례 요한은 십자가를 둘러싸고 매번 다르게 구성되어 있는데, 인물들의 표정이 다양하다. 왕립 도서관의 〈수난도〉는 양 볼을 쥐어뜯는 성모의 고통을 잘 읽을 수 있게 해 준다. 세례 요한은 늘 그렇듯이 선명하게 나타나 있지 않다. 진정한 대화는 성모와 그의 아들 사이에서 이루어지고 있기 때문인가. 미켈란젤로는 1564년, 여든아홉 살의 나이로 사망한다. 그의 시신은 아무도 모르게 피렌체에서 옮겨진다. 그가 조카에게 아버지 곁에 묻히고 싶다고 말했기 때문이다. 미켈란젤로의 장례식은 1564년 7월 14일 산 로렌초에서 피렌체의 모든 예술가들이 참석한 가운데 엄숙하게 거행되었다. 그런 다음 그의 유해는 산타 크로체로 옮겨지고 코시모 데 메디치 공작의 개인적인 지시에 의해 기념비가 세워졌다.

1. 〈성모와 성 요한 사이에서 십자가에 못박히신 예수〉
1552-1554년경. 검은 돌과 백연. 38.2×21cm.
왕립도서관, 윈저.

2. 〈성모와 니고데모 사이에서 십자가에 못박히신 예수〉
1552-1554. 검은 돌, 갈색 담채와 백연. 43.3×29cm.
루브르 박물관 데생전시실, 파리.

다음 페이지들 :
1. 〈성모와 성 요한 사이에서 십자가에 못박히신 예수〉
검은 잉크와 백연. 41.2×27.9cm.
대영박물관, 런던.

2. 〈성모와 성 요한 사이에서 십자가에 못박히신 예수〉
검은 잉크와 백연. 41.3×28.6cm.
대영박물관, 런던.

주제가 다양하게 변화하고 있는 일련의 〈수난도〉는 미켈란젤로가 이 작품들에 들인 치밀한 공으로 그 성격이 규정지어진다. 십자가들은 자를 대고 그렸다. 백연과 과슈는 그의 마음에 들지 않는 세부사항을 가리기 위해 사용되었다.

주요 작품 목록

1

5

9

13

17

2

6

10

14

18

3

7

11

15

19

4

8

12

16

20

1. 〈남성 누드 한 쌍〉(〈델피의 무녀〉 윗 부분) 1509.
프레스코. 190×385㎝.
시스티나 예배당(원형 천정), 로마.

2. 〈남성 누드 한 쌍〉(〈요엘〉 윗 부분) 1509.
프레스코. 190×385㎝.
시스티나 예배당(원형 천정), 로마.

3. 〈남성 누드 한 쌍〉(〈이사야〉 윗 부분) 1509.
프레스코. 190×395㎝.
시스티나 예배당(원형 천정), 로마.

4. 〈남성 누드 한 쌍〉(〈에리트리아의 무녀〉 윗 부분)
1509. 프레스코. 190×390㎝.
시스티나 예배당(원형 천정), 로마.

5. 〈남성 누드 한 쌍〉(〈쿠메의 무녀〉 윗 부분) 1509-1510.
프레스코. 195×385㎝.
시스티나 예배당(원형 천정), 로마.

6. 〈남성 누드 한 쌍〉(〈에스겔〉 윗 부분) 1509-1510.
프레스코. 195×385㎝.
시스티나 예배당(원형 천정), 로마.

7. 〈남성 누드 한 쌍〉(〈다니엘〉 윗 부분) 1511.
프레스코. 195×385㎝.
시스티나 예배당(원형 천정), 로마.

8. 〈남성 누드 한 쌍〉(〈페르시아의 무녀〉 윗 부분) 1511.
프레스코. 200×395㎝.
시스티나 예배당(원형 천정), 로마.

9. 〈남성 누드 한 쌍〉(〈리비아의 무녀〉 윗 부분) 1511.
프레스코. 195×385㎝.
시스티나 예배당(원형 천정), 로마.

10. 〈남성 누드 한 쌍〉(〈예레미야〉 윗 부분) 1511.
프레스코. 200×395㎝.
시스티나 예배당(원형 천정), 로마.

11. 〈즈가리아〉 1509.
프레스코. 360×390㎝.
시스티나 예배당(원형 천정), 로마.

12. 〈요엘〉 1509.
프레스코. 355×380㎝.
시스티나 예배당(원형 천정), 로마.

13. 〈이사야〉 1509.
프레스코. 365×380㎝.
시스티나 예배당(원형 천정), 로마.

14. 〈에리트리아의 무녀〉 1509.
프레스코. 360×380㎝.
시스티나 예배당(원형 천정), 로마.

15. 〈쿠메의 무녀〉 1510.
프레스코. 375×380㎝.
시스티나 예배당(원형 천정), 로마.

16. 〈에스겔〉 1510.
프레스코. 355×380㎝.
시스티나 예배당(원형 천정), 로마.

17. 〈다니엘〉 1511.
프레스코. 395×380㎝.
시스티나 예배당(원형 천정), 로마.

18. 〈요나〉 1511.
프레스코. 400×380㎝.
시스티나 예배당(원형 천정), 로마.

19. 〈다윗과 골리앗〉 1509.
프레스코. 570×970㎝.
시스티나 예배당(원형 천정), 로마.

20. 〈교활한 뱀〉 1511.
프레스코. 585×985㎝.
시스티나 예배당(원형 천정), 로마.

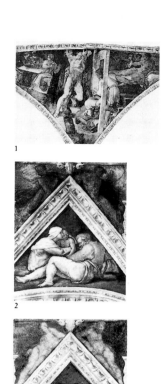

1. 〈아담의 벌〉 1511.
프레스코. 585×985㎝.
시스티나 예배당(원형 천정), 로마.

2. 〈요시야와 그의 부모〉 1509.
프레스코. 245×340㎝.
시스티나 예배당(원형 천정), 로마.

3. 〈제루바벨과 그의 부모〉 1509.
프레스코. 245×340㎝.
시스티나 예배당(원형 천정), 로마.

4. 〈에스겔과 그의 아버지 아카즈〉
1510. 프레스코. 245×340㎝.
시스티나 예배당(원형 천정), 로마.

5. 〈미래의 왕 우지야〉 1510.
프레스코. 245×340㎝.
시스티나 예배당(원형 천정), 로마.

6. 〈아사 왕〉 1511.
프레스코. 240×340㎝.
시스티나 예배당(원형 천정), 로마.

7. 〈로보암과 그의 어머니〉 1511.
프레스코. 240×340㎝.
시스티나 예배당(원형 천정), 로마.

8. 〈미래의 왕 이스야와 그의 부모〉
1511. 프레스코. 245×340㎝.
시스티나 예배당(원형 천정), 로마.

9. 〈살로몬과 그의 어머니〉 1511.
프레스코. 245×340㎝.
시스티나 예배당(원형 천정), 로마.

10. 〈야곱과 요셈〉 1511-1512.
프레스코. 215×430㎝.
시스티나 예배당(원형 천정), 로마.

11. 〈아조르와 사독〉 1511-1512.
프레스코. 215×430㎝.
시스티나 예배당(원형 천정), 로마.

12. 〈아킴과 엘리우드〉 1511-1512.
프레스코. 215×430㎝.
시스티나 예배당(원형 천정), 로마.

13. 〈요시야, 예코니아, 살라티엘〉
1511-1512. 프레스코. 215×430㎝.
시스티나 예배당(원형 천정), 로마.

14. 〈제루바벨, 아비우드, 엘리아킴〉
1511-1512. 프레스코. 215×430㎝.
시스티나 예배당(원형 천정), 로마.

15. 〈에제키엘, 마나세, 아몬〉
1511-1512. 프레스코. 215×430㎝.
시스티나 예배당(원형 천정), 로마.

16. 〈우지야, 조아탐, 아카즈〉
1511-1512. 프레스코. 215×430㎝.
시스티나 예배당(원형 천정), 로마.

17. 〈아사, 요사파트, 요람〉
1511-1512. 프레스코. 215×430㎝.
시스티나 예배당(원형 천정), 로마.

18. 〈로보암, 아비아〉 1511-1512.
프레스코. 215×430㎝.
시스티나 예배당(원형 천정), 로마.

19. 〈이사야, 다윗, 살로몬〉
1511-1512. 프레스코. 215×430㎝.
시스티나 예배당(원형 천정), 로마.

20. 〈살로몬, 부즈, 요베드〉
1511-1512. 프레스코. 215×430㎝.
시스티나 예배당(원형 천정), 로마.

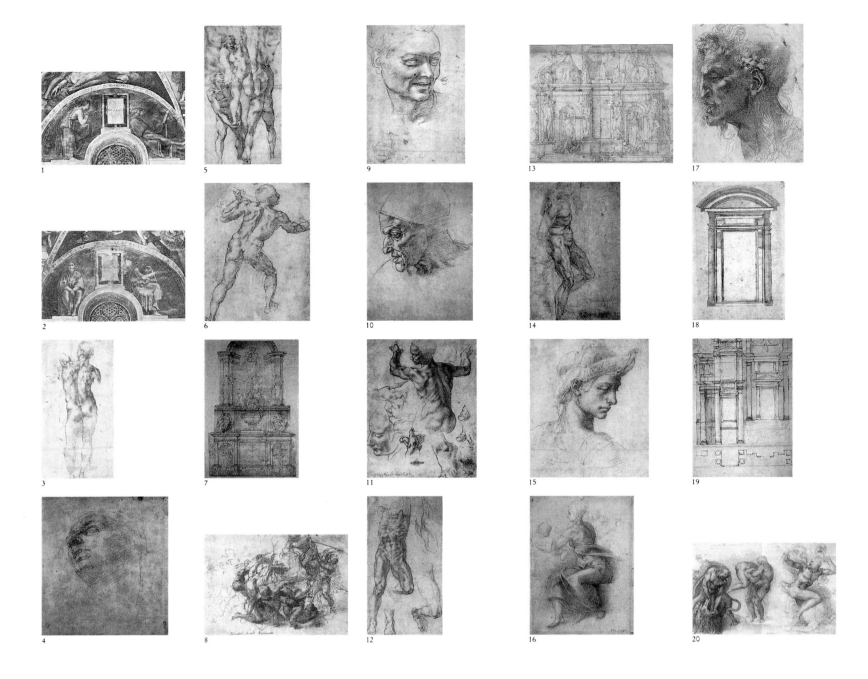

1. 〈나손〉1511-1512.
프레스코. 215×430cm.
시스티나 예배당(원형 천정), 로마.

2. 〈아미나다브〉1511-1512.
프레스코. 215×430cm.
시스티나 예배당(원형 천정), 로마.

3. 〈서 있는 남성 누드〉1501년경.
펜과 잉크. 37.9×18.7cm.
알베르티나 그래픽스 콜렉션, 빈.

4. 〈위를 바라보고 있는 얼굴을
위한 습작〉1504년경.
붉은 연필. 19.9×17.2cm.
카사 부오나로티, 피렌체.

5. 〈세 명의 남성 누드〉1504년경.
검은 돌과 첨필. 33.2×17.4cm.
루브르 박물관, 파리.

6. 〈뒤에서 본 남성 누드〉
1504년경. 검은 돌. 28.2×20.3cm.
루브르 박물관, 파리.

7. 〈어느 무덤을 위한 습작〉1505?
검은 돌, 펜, 잉크와 담채.
51×31.9cm. 메트로폴리탄 미술관,
뉴욕.

8. 〈전쟁장면 : 보병들을 공격하는
기병〉1506년경.
펜과 잉크. 17.9×25.1cm.
애쉬몰리안 박물관, 옥스포드.

9. 〈어느 젊은이의 얼굴과 오른
손을 위한 습작〉(시스티나 예배당)
검은 돌과 백연. 30.5×21cm.
루브르 박물관, 파리.

10. 〈쿠메의 무녀를 위한 습작〉
(시스티나 예배당)
딱딱한 검은 돌과 백연. 32×22.8cm.
왕실도서관, 토리노.

11. 〈리비아의 무녀를 위한
습작〉(시스티나 예배당)
붉은 연필. 28.9×21.4cm.
메트로폴리탄 미술관, 뉴욕.

12. 〈시스티나 예배당의 하만의
형상을 위한 네 개의 습작〉
붉은 연필. 40.6×20.7cm.
대영박물관, 런던.

13. 〈무덤 벽면을 위한 습작〉
1513년경. 검은 돌, 펜, 갈색 잉크와
갈색 담채. 29×36.1cm.
우피치 미술관, 피렌체.

14. 〈서 있는 남성 누드를 위한
습작〉1513년경 혹은 1516년경.
첨필자국 위에 붉은 연필.
32.7×20cm. 순수미술학교, 파리.

15. 〈이상적인 두상〉1518-1520.
붉은 연필. 20.5×16.5cm.
애쉬몰리안 박물관, 옥스포드.

16. 〈성모, 아기 예수, 세례 요한〉
1520년경. 붉은 연필. 29×20.4cm.
루브르 박물관, 파리.

17. 〈사티로스의 두상〉1522년
이후. 펜, 갈색 잉크와 붉은 연필.
27.6×21.1cm. 루브르 박물관, 파리.

18. 〈어느 문을 위한 습작〉
1526년경. 검은 돌, 잉크, 붓과
흑갈색 담채. 40.5×25.3cm.
카사 부오나로티, 피렌체.

19. 〈입면도, 어느 무덤을 위한
설계도〉1526년경. 검은 돌, 펜,
갈색 잉크, 붓과 담채. 39.7×27.4cm.
카사 부오나로티, 피렌체.

20. 〈헤라클레스의 세 가지 시련〉
1530년경. 붉은 연필. 27.2×42.2cm.
왕립도서관, 윈저.

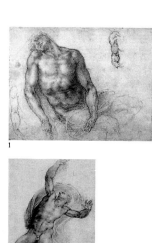

1

5

9

13

17

2

6

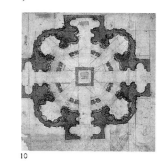

10

14

18

3

7

11

15

19

4

8

12

16

20

1. 〈피에타를 위한 습작 : 오른 팔을 위한 두 개의 습작〉 1532? 검은 돌. 25.4×31.8cm. 루브르 박물관, 파리.

2. 〈부활한 예수〉 1532년경. 검은 돌. 37.3×22.1cm. 왕립도서관, 윈저.

3. 〈파에톤의 추락〉 1533. 검은 돌. 31.3×21.7cm. 대영박물관, 런던.

4. 〈성모영보〉 1530-1540. 검은 돌. 40.5×54.5cm. 우피치 미술관, 피렌체.

5. 〈성모영보〉 1540년경. 검은 돌. 38.3×29.6cm. 피에르폰트 모르건 도서관, 뉴욕.

6. 〈병사들의 무리〉(밑그림의 부분) 1542년경. 검은 돌. 263×156cm. 카포디몬테 국립미술관, 나폴리.

7. 〈몸을 앞으로 숙이고 있는 남자를 위한 습작〉 1550년경. 검은 돌. 23.3×10cm. 국립미술관, 워싱턴.

8. 〈십자가 아래의 성모〉 1552-1554년경. 검은 돌. 23×10.2cm. 루브르 박물관, 파리.

9. 〈십자가 아래의 세례 요한〉 1552-1554년경. 검은 돌. 25×8.2cm. 루브르 박물관, 파리.

10. 〈산 지오반니 데이 피오렌티니의 도면〉 1559. 첨필, 검은 돌, 펜, 잉크, 담채와 백연. 42.8×38.6cm. 카사 부오나로티, 피렌체.

11. 〈성 마태〉(미완성) 1506. 대리석. 높이 : 261cm. 아카데미 미술관, 피렌체.

12. 〈수염을 기른 노예〉 1530-1534. 대리석. 263×248cm. 순수미술학교, 피렌체.

13. 〈어린 노예〉 1530-1534. 대리석. 257×235cm. 아카데미 미술관, 피렌체.

14. 〈아틀란테로 불리는 노예〉 1530-1534. 대리석. 순수미술학교, 피렌체.

15. 〈브루투스 흉상〉(미완성) 1539년경. 대리석. 74×95cm. 바르젤로 국립박물관, 피렌체.

16. 〈피렌체의 산 로렌초 성당 정면〉 1517. 나무 모형. 카사 부오나로티, 피렌체.

17. 〈라우렌치아나 도서관〉 (열람실) 1523-1571. 피렌체.

18. 〈시청 광장〉 1538년경. 미켈란젤로의 계획대로 정비됨. 로마.

19. 〈파르네제 궁의 외관〉 1546-1549. 삼층과 코니스. 로마.

20. 〈피아의 문〉 1561-1565? 로마.

미켈란젤로의 생애	주요 작품
1475	3월 6일, 카프레세에서 행정관을 지낸 아버지 레오나르도 디 부오나로티 시모니와 어머니 F.N. 미니아토 델 세라 사이에서 출생.	
1481	어머니의 죽음. 고전연구가인 프란체스코 갈라테아 우르비노에게서 수학.	
1485	그림을 그리기 시작. 화가 프란체스코 그라나치로부터 격려받음.	
1488	4월 1일, 도메니코와 다비드 기를란다요 형제의 화실로 들어감.	
1490	기를란다요의 화실에서 나와 로렌초 대공의 집으로 들어감. '메디치 가의 정원'을 드나들며 고대에 관한 공부를 함.	〈계단 위의 성모 마리아〉〈켄타우로스 족과 라피드 족의 전투〉
1492	로렌초 대공의 죽음으로 귀가함.	산토 스피리토를 위한 나무십자가. 〈헤라클레스〉(남아 있지 않음).
1494	정치적 혼란에서 도피. 베네치아에서 은거하다가 볼로냐로 가서 약 일 년 동안 거주.	산 도메니코의 무덤을 위한 조상 : 〈무릎을 꿇은 천사〉〈산 페트로니오〉〈산 프로콜로〉
1495	피렌체로 돌아옴. 공화주의자 사보나롤라의 사상을 받아들임.	〈세례 요한〉(소실) 〈큐핏〉(소실)
1496	처음으로 로마에 감. 리아리오 추기경의 숙객이 됨.	
1497	성 베드로 성당을 위한 〈피에타〉 주문을 받음. 대리석을 고르기 위해 카라라 산에 감.	〈바커스〉
1498	〈피에타〉 제작.	〈피에타〉
1501	피렌체에서 피콜로미니 추기경의 무덤을 위한 열다섯 개의 조각을 계약(시엔나). 〈다윗〉 주문을 받음.	〈다윗〉(1501-1504) 〈브뤼헤의 성모자상〉
1502	피렌체 정부가 피에르 드 로앙 원수를 위해 〈다윗〉(청동)을 주문. 이것은 프랑스로 보내졌다가 분실됨.	〈다윗〉(청동), 1508년까지 미완성으로 남아 있다가 베네데토 다 로베차노에 의해 완성됨.
1503	산타 마리아 델 피오레 성당을 위한 열두 제자상 주문. 이 가운데 〈성 마태〉만 제작된다.(초벌에 그침)	〈성 마태〉
1504	8월, 〈카시나의 전투〉 주문. 9월 8일, 〈다윗〉(대리석)이 세뉴리 궁 앞에 놓이다.	〈피티의 원형 부조〉〈타데이의 원형 부조〉〈도니의 원형 부조〉〈카시나의 전투〉
1505	율리우스 2세가 그의 무덤 제작을 위해 미켈란젤로를 로마로 부름. 카라라 산에 대리석을 고르러 감.	율리우스 2세 무덤을 위한 첫번째 설계도.
1506	교황이 무덤 제작 대신 시스티나 예배당의 천정화를 주문하자 화가 나서 피렌체로 돌아옴. 볼로냐에서 화해함.	
1507	볼로냐에 머물다가 연말에 로마로 돌아가고 싶다는 의사를 밝힌다.	볼로냐의 산 페트로니오 성당의 정면에 율리우스 2세의 조상(청동) 제작, 1511년에 파괴됨.
1508	소데리니는 그에게 〈헤라클레스와 카쿠스〉 조각을 주문. 시스티나 예배당을 위한 선금 지불. 벽화 준비작업에 들어감.	〈율리우스 2세의 기념비〉를 위한 첫번째 설계도 완성. 〈헤라클레스와 카쿠스〉(테라코타)
1509	2월 –3월, "나는 만족하지 못하고 있다.… 외롭고 돈도 없다." 연말에 그는 원형 천정의 거의 삼분의 일을 제작.	시스티나 예배당의 원형 천정 벽화작업에 착수.
1511	천창을 위한 밑그림을 시작한 것으로 보인다. 8월 14일에서 15일, 원형 천정의 전체적인 윤곽이 드러난다.	시스티나 예배당의 천정 벽화작업을 끝냄.
1512	10월 31일, 시스티나 예배당 원형 천정의 그림을 공식적으로 개막.	
1513	2월, 레오 10세가 율리우스 2세를 계승. 무덤을 위한 계약을 새로이 체결. 군상은 마흔 개에서 스물여덟 개로 조정 됨. 카라라에 가다.	〈반항하는 노예〉〈죽어가는 노예〉〈모세〉 작업 시작.
1514	6월 15일, 로마의 산타 마리아 소프라 미네르바 성당을 위한 〈부활한 예수〉의 주문을 받다.	
1516	메디치 가의 일원인 레오 10세는 산 로렌초에서 가족의 장례를 위한 성당의 외관을 제작해 줄 것을 의뢰한다. 세바스티아노 델 피옴보와 친분을 맺음.	
1517	수차례에 걸쳐 카라라에 가다.	산 로렌초 성당의 외관을 위한 설계도를 그리기 시작함.
1518	산 로렌초를 위한 계약 체결(1520년에 취소됨). 피에트라산타와 카라라에서 대리석을 고르다. 피렌체에 세 개의 화실.	

예술사	일반사
폴라이우올로 : 〈산 세바스티아노의 박해〉기를란다요 : 〈산 지미냐노의 벽화〉마르실리오 피치노 : 「플라톤학파의 신학」 우첼로 사망.	식스투스 4세가 바티칸 도서관을 개방. 영국과 프랑스가 백년전쟁을 마감하는 피키니 평화조약 체결. 에드워드 4세의 칼레 공략.
멜로초 다 포를리가 처음으로 시스티나 예배당을 장식함. 레오나르도 다 빈치 : 〈동방 박사 예찬〉	터키, 오트란트 기습. 스페인 통일. 토르케마다가 종교재판소를 설립. 루이 11세가 프랑슈 콩테 점령. 마호멧 2세 사망.
기를란다요 : 〈산타 마리아 노벨라의 트리니타 성당 벽화〉시작. 세바스티아노 델 피옴보 출생.	나폴리에서 페르디난도 국왕에 반대하는 반란. 유럽에 백열 군데의 인쇄소(이탈리아 50, 독일 30, 프랑스 9). 리차드 3세 사망.
필리피노 리피 : 〈산타 마리아 소프라 미네르바 성당 벽화〉 베로키오 사망.	바르톨로메오 디아츠, 남아프리카 점령.
레오나르도 다 빈치 : 〈모피를 두른 여인〉르페브르 데타플르 : 「아리스토텔레스 형이상학 입문」 티치아노 출생.	
핀투리키오 : 〈알렉산더 6세의 궁전 장식〉피에로 델라 프란체스카 사망. 아레티노 출생.	로렌초 대공과 이노첸토 8세 사망. 콜롬부스가 아메리카 대륙 발견. 스페인, 반유태인 칙령.
브란트 : 〈미치광이들의 배〉파치올리 : 「산술서」 기를란다요, 멤링 사망. 코레조, 폰토르모, 라블레 출생.	나폴리에서 페르디난도 사망. 샤를르 8세, 로마 입성. 메디치 가의 몰락. 알데 마누체가 베네치아에서 인쇄소를 열다.
보티첼리 : 〈아펠의 모략〉만테냐 : 〈승리의 마돈나〉 코시모 투라 사망.	샤를르 8세, 나폴리 점령.
라파엘로, 페루지아에서 페루지노의 제자가 됨. 필리피노 리피 : 〈점성가 예찬〉 에르콜레 로베르티 사망. 클레망 마로 출생.	
레오나르도 다 빈치 : 〈최후의 만찬〉시뇨렐리 : 〈몬테 올리베토 마지오레 수도원 장식〉베노초 고촐리 사망.	사보나롤라 파문당함. 바스코 다 가마, 출항. 장 카보, 신대륙 발견. 멜라흐톤 출생.
프라 바르톨로메오 : 〈산타 마리아 성당 벽화〉블르와 성 축조. 프라 디아만테, 폴라이우올로 사망. 모레토 출생.	샤를르 8세 사망 후 루이 12세가 계승. 사보나롤라 화형에 처해짐. 바스코 다 가마, 인도 항로 발견.
핀투리키오 : 스펠로의 〈산타 마리아 성당 벽화〉만테냐 : 〈악의 승리〉 〈낙원〉	
카르파치오 : 〈산 지오르지오네와 용〉조스깽 데 프레 : 「제 1 미사집」	개종하지 않았음을 이유로 스페인에서 모레스에게 추방령 내림. 율리우스 2세가 알렉산드레 6세를 계승. 바스코 다 가마, 2차 항해.
벨리니 : 〈도제 레오나르도 로레다노의 초상〉	베네딕트 파 창설. 알부케르케, 인도에 가다. 포르투갈 사람들이 일본에 상륙. 베네치아 거울 발명.
핀투리키오 : 〈시엔나 성당 벽화〉에라스무스 : 「안내서」 필리피노 리피 사망. 브론치노 출생.	프랑스, 나폴리에서 퇴각. 블르와조약.
벨리니 : 〈신성한 대화〉소도마 : 〈성자 베르나르도의 생애〉 다 빈치, 인체구조 연구.	루터, 수도원에 들어감.
라파엘로 : 〈미의 세 여신〉브라만테가 로마에서 성 베드로 성당 건설에 착수. 로이흘린 : 「헤브라이어 입문」 만테냐 사망.	포르투갈 사람들, 서인도제도의 소코트라 섬에 상륙.
레오나르도 : 〈회화론〉로토 : 〈성녀 카타리나의 결혼〉라파엘로 : 〈미녀 정원사〉 〈십자가를 내리다〉 벨리니 사망.	제네바에서 프랑스에 대한 저항. 케사르 보르지아 사망. 루터, 사제로 임명됨. 알부케르케, 호르무즈 정벌.
라파엘로 : 〈천개(天蓋) 아래의 성모〉 〈카우퍼의 위대한 마돈나〉 티치아노 : 〈전원의 음악회〉 로토 : 〈성모영보〉	
브라만테와 라파엘로, 바티칸에서 작업. 안드레아 델 사르토 : 〈산 필리페 베니치의 삶〉 에라스무스 : 「광기 예찬」	율리우스 2세, 베네치아에서 파문당함. 로마뉴 재점령. 헨리 8세 즉위. 포르투갈, 말라카 점령. 캘빈, 세르베토 출생.
티치아노 : 〈귀족의 초상〉라파엘로 : 〈헬리오도레의 방을 그림〉	율리우스 2세의 반프랑스 동맹. 페터 헨라인, 회중시계 발명.
라파엘로 : 〈폴리뇨의 마돈나〉피옴보 : 〈라 포르나리나〉 르페브르 데타플르, 「성 바울의 사도서한」 출간. 바사리 출생.	메디치 일가, 피렌체로 돌아옴. 프랑스, 이탈리아에서 퇴각. 밀라노 종교회의 붕괴. 루터, 비텐베르크의 수도원장이 됨.
티치아노 : 〈성스러운 사랑〉 〈세속의 사랑〉사르토 : 〈성녀 카타리나의 신비한 결혼〉 마키아벨리 : 「군주론」 핀투리키오 사망.	종교재판에 따라 로이흘린 처형. 루이 12세는 레오 10세와 교섭하여 밀라노를 되찾는다. 노바라 전투. 발보아, 태평양 발견.
프라 바르톨로메오 : 〈산 세바스티아노〉 코레지오 : 〈산 프란체스코와 마돈나〉 라파엘로, 성 베드로 성당 건축. 브라만테 사망.	루이 12세는 평화를 되찾는다. 헝가리 농민 반란. 포르투갈, 중국 점령.
티치아노 : 〈버찌와 성모〉레오나르도 다 빈치, 프랑스로 감. 토마스 모어 : 「유토피아」 아리오스토 : 「광란의 오를란도」 제롬 보쉬 사망.	루터의 포교. 프랑스와 1세와 교황의 협약. 아라공 사망. 칼 5세가 스페인과 남부 이탈리아의 권좌 계승.
라파엘로 : 〈성녀 체칠리아〉안드레아 델 사르토 : 〈마돈나와 괴물 하르퓌아〉 세바스티아노 델 피옴보 : 〈피에타〉 프라 바르톨로메오 사망.	루터가 면죄부에 반대하는 아흔다섯 개 조항 발표. 스페인, 유카탄 반도 점령. 포르투갈, 광동지방 점령. 터키, 이집트 점령.
안드레아 델 사르토 : 〈자비〉소도마 : 〈사원에 헌성용하심〉 틴토레토, 팔라디오 출생.	로마 법정에 소환된 루터가 종교회의를 청원.

미켈란젤로의 생애	주요 작품
1519	율리우스 2세의 무덤작업을 다시 함. 교황이 산 로렌초 제의실 장식을 주문. 이것은 장례를 위한 예배당으로 변형된다.	산타 마리아 소프라 미네르바 성당에 제2의 〈부활한 예수〉 제작.
1520	11월, 메디치 예배당의 장식과 설계도를 제작하기로 함. 처음에 여섯 개였던 무덤을 두 개로 줄임.	
1521	12월, 교황 레오 10세 사망. 8월, 〈미네르바의 예수〉가 로마로 옮겨짐.	메디치 가의 무덤을 위한 작업 시작.
1524	피렌체에서 라우렌치아나 도서관의 작업 시작(1524-1526, 1530-1534).	로렌초 데 메디치의 무덤작업 시작, 〈황혼〉 〈새벽〉
1526	율리우스 2세의 무덤으로 인해 새 교황 클레멘테 7세와 불화.	쥘리아노 데 메디치의 무덤작업 시작, 〈밤〉 〈낮〉
1527	메디치 가의 몰락. 산 로렌초를 위한 작업 중단. 황제와 교황의 군대에 대항하는 도시 성채를 축조.	성채의 설계도.
1528	좋아했던 형 부오나로토의 죽음으로 비탄에 잠김.	
1529	노베 델라 밀리치아의 일원이었으며, 성채 축조의 총 책임자로 임명됨. 7월-8월, 페라라의 성채 연구.	
1530	8월 12일, 피렌체 공화정 항복. 클레멘테 7세는 미술가들이 메디치 예배당의 작업을 다시 시작하는 것을 허용함.	〈레다〉의 밑그림. 〈아폴론〉
1531	산 로렌초의 성유물 누대 설계도를 그림(1531년 10월-1533년 7월).	〈사회악〉 〈비너스와 큐핏〉의 밑그림. 〈황혼〉 〈낮〉
1532	율리우스 2세의 후계자들과 무덤을 위한 새로운 계약을 체결. 토마소 카발리에리와의 만남. 로마에서 그의 곁에 정주.	〈승리〉 〈네 명의 노예들〉(아카데미)
1534	아버지 루도비코(91세)와 클레멘테 7세 사망. 교황 바오로 3세는 풍성한 작품 제작의 시대를 연다.	피렌체에서 메디치 가의 무덤작업을 끝냄.
1535	바오로 3세는 〈최후의 심판〉 주문을 확정.	〈최후의 심판〉의 밑그림.
1536	〈최후의 심판〉 시작(1536-1541). 1536-1537년경에 신앙심이 깊은 비토리아 콜로나를 알게 된다.	〈최후의 심판〉 시작(시스티나 예배당).
1538	비토리아 콜로나를 위한 여러 개의 작품 제작. 이들의 만남은 F. 데 홀란다의 「대화」에 자유롭게 재구성되어 있다.	〈브루투스〉 시작(?)
1542	8월 20일, 율리우스 2세의 무덤을 위한 최종 계약. 〈모세〉를 끝내고 〈레아〉와 〈라헬〉 제작(1542-1545).	파올리나 예배당의 벽화 시작. 〈성 바울의 개종〉(1542-1545)
1544	루이지 델 리키오의 조카인 프란체스코 브라키의 무덤 데생. 바사리, 미래의 학술회원인 바르키와 교제.	계획에 따라 시청 광장의 정비작업을 시작.
1546	와병, 루이지 델 리키오가 간호. 프랑스와 1세에게 약속한 작품을 제작하지 못함. 성 베드로 성당의 건축가로 임명됨.	파올리나 예배당에서 〈성 베드로의 수난〉 작업(1545-1550).
1547	비토리아 콜로나 사망. 그는 고통에 빠진다.	
1550	산 지오반니 데이 피오렌티니 성당의 설계도 제작. 바사리는 미켈란젤로의 전기를 포함하고 있는 「예술가들의 전기」(초판)를 펴냄.	〈파올리나 예배당의 벽화〉 완성.
1553	〈피에타〉 작업(피렌체 성당). 그의 제자인 콘디비는 「미켈란젤로 부오나로티의 생애」를 펴냄.	〈피에타〉(피렌체 성당)
1555	바오로 4세가 성 베드로 성당의 원형 천정을 부탁. 이교적이라는 판정에 따라 〈최후의 심판〉의 신체의 노출 부분들이 가려짐.	〈론다니니의 피에타〉 첫번째 작품.
1559	라우렌치아나 도서관 계단의 모형을 피렌체에 보냄. 교황 비오 4세 즉위(1559-1565).	산 지오반니 데이 피오렌티니 성당과 산타 마리아 마지오레 예배당을 위한 데생.
1560	카타리나 데 메디치를 위해 앙리 2세에게 경의를 표하는 기념비 데생.	
1561	〈피아의 문〉과 〈산타 마리아 델리 안젤리〉 제작.	성 베드로 성당의 원형 천정을 위한 나무모형을 완성.
1563	메디치 가의 코시모 공작 1세와 함께 데생 아카데미를 구상하여 같은 해 피렌체에 설립.	
1564	2월 18일, 여든아홉 살로 사망. 그의 바람에 따라 조카 레오나르도가 시신을 피렌체로 옮겨 엄숙하게 장례를 치름.	

예술사	일반사
코레지오 : 〈성녀 카타리나의 신비한 결혼〉 티치아노, 〈페사로의 성모〉 시작. 레오나르도 다 빈치 사망.	칼 5세 황제에 즉위. 루터, 쾰른에서 유죄선고를 받음. 코르테즈, 멕시코 점령. 마젤란, 케이프 혼을 확장. 멜란톤과 루터, 라이프치히에 감.
코레지오 : 〈예수 현성용화〉 라파엘로 사망.	루터 : 「기독교도 귀족에게 호소함」 「어느 기독교인의 자유에 관하여」 드라 도르 진지에서의 회담. 마젤란 해협 발견.
안드레아 델 사르토 : 〈케사르, 이집트 족을 맞아들이다〉 마키아벨리 : 「전쟁술에 관한 대화」 피에로 디 코시모 사망.	스포르차, 밀라노 탈환. 보름스 의회의 결정에 따라 루터를 유럽에서 추방. 레오 10세 사망. 터키, 벨그라드 점령.
파르미지아니노 : 〈볼록거울에 비친 자화상〉 페루지노 사망. 롱사르, 팔레스트리나 출생.	라 트레무와이유 일가, 밀라노 탈환. 루터 : 「삭스 왕자에게 보내는 편지」 뮌처, 뮐하우젠에서 반침례파 공동체를 이끎.
소도마 : 〈고성소로 내려감〉 안드레아 델 사르토 : 〈최후의 만찬〉 티치아노 : 〈페사로의 성모〉 카르파치오 사망.	이탈리아 소국들간의 코냑 동맹. 메네제스, 뉴기니아 발견. 카푸친 협회 창설. 루터 교회 창설.
홀바인 : 〈피셔의 초상〉	독일제국 군대가 로마 공략. 이탈리아에서 프랑스 패퇴. 루터교가 덴마크의 국교가 됨.
코레지오 : 〈성 제롬과 함께 있는 마돈나〉 파르미지아니노 : 〈장미와 마돈나〉 팔마, 뒤러 사망. 베로네제 출생.	이나고 로페스 데 로욜라, 파리에 가다. 베른의 종교개혁. 상스의 종교회의. 토마스 모어가 영국의 재상으로 취임.
루이니 : 루가노의 〈산타 마리아 성당 벽화〉(정념) 파르미지아니노 : 〈마돈나〉 알트도르퍼 : 〈알렉산더의 전투〉	제노바 독립. 바젤, 생 갈르, 샤푸즈, 뮐루즈에서 종교개혁 승리. 터키군대가 베네치아에 접근.
코레지오 : 〈성스러운 밤〉 티치아노 : 〈성모와 토끼〉 롯소, 퐁텐블로에 초대받음. 안드레아 델 사르토 사망.	프랑스와 1세, 콜레쥬 드 프랑스 창설. 피렌체 공략. 아우구스부르크에서의 고해. 칼 5세 즉위.
프랑스 대교구. 크라나흐 : 〈비너스〉	헨리 8세가 영국 성공회주교가 됨.
라블레 : 「팡타그뤼엘」	알렉산드레가 토스카나 공이 됨. 피차로, 페루 상륙.
티치아노 : 〈성모, 신전에 현성용하심〉 파르미지아니노 : 〈목이 긴 마돈나〉 라블레 : 「가르강튀아」	로렌자치오가 알렉산드로 암살. 토마스 모어 처형. 카르티에, 캐나다 발견. 로욜라, 예수회 창설.
아레티노 : 「추론」	프랑스와 1세가 터키와 동맹하여 오스트리아와 전쟁. 크롬웰이 영국의 부주교가 됨. 페루에서 잉카의 난.
파라셀스의 의약품에 관한 논문. 캘빈 「기독교회」 에라스무스 사망.	프랑스와 1세, 사보아와 토리노 점령. 캘빈, 제네바에 정착. 코시모, 몬테 뮈를로에서 프랑스군을 격파. 앤 볼린 처형.
티치아노 : 〈우르비노의 비너스〉	프랑스와 1세와 칼 5세 니스에서 접전. 교황과 베네치아 황제간의 신동맹. 데 소토, 미시시피 탐험.
지오르지오 바사리 : 〈코르네 스피넬리 궁의 어느 방 천정〉(베네치아) 팔라디오가 레오나르도의 고디 발마라나 저택을 짓다.	토스카나 : 대공국. 칼 5세와 헨리 8세, 프랑스와 1세에 대항하여 동맹 맺음. 카라파가 로마의 종교재판을 지휘.
티치아노 : 〈다나에〉 안톤 프란체스코 도니 : 「음악에 관한 담론」	쾰른에서 처음으로 예수회 창설됨. 샹파뉴 침공. 볼로냐에서 영국 공략.
틴토레토 : 베네치아에서 〈산타 마리아 델 로르토 벽화〉 제작. 라블레 : 「제삼의 책」 가우덴치오 페라리 사망. 티코 브라에 출생.	루터 사망. 파리에서 에티엔느 돌레 인쇄소가 이교적이라는 이유로 불타게 됨. 예수회, 브라질에 전파됨.
틴토레토 : 〈최후의 만찬〉 최초로 베네치아에서 코란이 번역됨. 세바스티아노 델 피옴보, 피에트로 벰보 사망. 세르반테스 출생.	프랑스와 1세 사망. 앙리 2세가 계승. 헨리 8세 사망으로 에드워드 6세가 계승. 칼 5세와 바오로 3세 관계 단절.
브론치노 : 〈메디치 가의 코시모 1세〉 틴토레토 : 〈아담과 이브〉 팔라디오 : 최초의 혼돌다리 제작. 칼뱅 : 「추문에 관하여」 롱사르 : 「오드」	프랑스와 영국간의 평화조약. 율리우스 3세 추대. 로마에 예수회 창설.
캘빈 : 「전통 신앙의 옹호」	메리 튜더가 에드워드 6세 계승. 제네바에서 세르베토 처형. 리마에서 제1차 종교회의 끝남. 멕시코와 리마대학.
베로네제, 베네치아의 성 세바스티아노 성당의 벽화 시작. 루이즈 라베 : 「소네트」 말레르브 출생.	시엔나 항복. 율리우스 3세가 죽고 마르첼로 2세와 뒤이어 카라파(바오로 4세) 즉위. 은광석을 다루기 위한 아말감 발명.
브뤼겔 : 〈금언〉 〈카니발과 사순절〉 틴토레토 : 〈목욕하는 수잔느〉 아미오트 : 플루타르크의 「영웅전」 번역서 펴냄.	바티칸의 제1금서목록. 카토 캄브레지스조약. 프랑스와 2세가 앙리 2세 계승 바야돌리드와 세비야에서 종교재판.
베로네제 : 다니엘로 바르바로의 저택 벽화 제작. 테오도르 드 베즈 : 「행정관료론」	프랑스와 2세 사망. 카타리나 데 메디치의 섭정. 일본에 비엘라 예수회 창설. 니코가 파리에 담배를 보냄.
브뤼겔 : 브뤼셀에서 〈뒬르 글리에〉 제작. 베로네제 : 〈카나에서의 혼례식〉 틴토레토 : 〈성 마가의 몸을 만들다〉	은행가 집안인 퓌거 가문 파산. 프랑스와 드 기즈 암살. 트렌토 종교회의 끝남. 네덜란드, 스페인에 저항.
브뤼겔 : 〈눈 사냥꾼〉 나무에 흑연심을 박은 연필이 발명됨. 셰익스피어, 갈릴레이 출생.	페르디난트 1세 사망 후 막시밀리안 2세 즉위. 캘빈 사망. 트렌토 종교회의 비준.

미켈란젤로 작품 찾아보기

참고문헌

L'Œuvre littéraire de Michel-Ange avec une vie du maître par son élève Ascanio Condivi. Première traduction par Boyer d'Agen. Paris, 1911.

The Drawings of the Florentine Painters, Bernard Berenson. (3 vol.), Chicago et Londres, 1938.

The Architecture of Michelangelo, J. S. Ackerman. (2 vol.), Londres, 1961.

Michelangelo architetto, P. Portoghesi et B. Zevi. Turin, 1964.

Le Grand atelier d'Italie 1460-1500, André Chastel. Paris, 1965.

Il Carteggio di Michelangelo, Paola Barocchi et R. Ristori. Florence, 1965, 1983.

Michelangelo, Charles de Tolnay (5 vol.). Princeton University Press, 1970.

Michel-Ange, Charles de Tolnay. Flammarion, Paris, 1970.

The Drawings of Michelangelo, F. Hartt. Londres, 1971.

Le Temps des génies, Renaissance italienne 1500-1540, L. H. Heydenreich et Günter Passavant. Paris, 1974.

Michel-Ange au Louvre, les dessins. R. Bacou et F. Viatte. Paris, 1975.

Michel-Ange, l'artiste, sa pensée, l'écrivain. Ouvrage collectif, présentation Mario Salmi (2 vol.). Editions Atlas, Paris, 1976.

A project of Michelangelo's for the Tomb of Julius II, PP. 375-382, Master Drawings XIV, 1976.

Les Ignudi de Michel-Ange in *Fables, Formes, Figures* (vol. I, pp. 273-292), André Chastel. Paris, 1978.

Michel-Ange en France in *Fables, Formes, Figures* (vol. II, pp. 189-206), André Chastel. Paris, 1978.

Drawings by Michelangelo from the British Museum, catalogue d'exposition. The Pierpont Morgan Library, New York, 1979.

Drawings by Michelangelo from the British Museum, J. A. Gere et N. Turner. New York, 1979.

Corpus dei Disegni di Michelangelo, Charles de Tolnay. (4 vol.) Novare, 1976, 1980.

L'Art italien, André Chastel. Paris, 1982.

Art et humanisme à Florence au temps de Laurent le Magnifique, André Chastel. PUF, Paris, 1959, 1982.

Disegni italiani del Teylers Museum Haarlem provenienti dalle collezioni di Christina di Svezia e dei principi odescalchi. B. W. Meijer et C. Van Tuyll. Florence, 1983.

La Vie de Michel-Ange in *La Vie des meilleurs peintres, sculpteurs et architectes*, Giorgio Vasari. (1550, 2ème édition augmentée 1568), édition commentée sous la direction d'André Chastel (t. 9, pp. 169-340) Paris, 1985.

Michelangelo e i maestri del Quattrocento, catalogue d'exposition, Carlo Sisi. Florence, casa Buonarroti, 20 juin-20 novembre 1985.

Tout l'œuvre peint de Michel-Ange, introduction par Charles de Tolnay, documentation Ettore Camesasca. Paris, 1966 (en italien), 1967, 1986 (en français).

Renaissance artists and Antique sculpture, P. P. Bober et R. O Rubinstein. A Handbook of sources, Londres et Oxford, 1986.

Michel-Ange et la chapelle Sixtine, ouvrage collectif avec des textes d'André Chastel, John Shearman, John O'Malley, Pierluigi de Vecchi, Michaël Hirst, Fabrizio Mancinelli, Gianluigi Colalucci. Paris 1986.

Michelangelo at work, the painting of the Ceiling, F. Mancinelli, The Sixtine Chapel, Michelangelo rediscovered PP. 218-259, Londres, 1986.

La Théorie des arts en Italie, Anthony Blunt. (1ère édition anglaise 1940), Paris, 1986.

Michel-Ange et la peinture à fresque, Alessandro Conti. Traduction de l'Italien par Odile Ménégaux, Paris, 1987.

Michel-Ange dessinateur, catalogue d'exposition, Michaël Hirst. RMN, Musée du Louvre, Paris, 9 mai-31 juillet 1989.

Michelangelo e la Sistina, la tecnica, il restauro, il mito, catalogue d'exposition. Musei vaticani e biblioteca apostolica vaticana, Rome, 1990.

자료사진 제공

SCALA.: 26-27, 28 (2), 30 (1), 31 (3), 32, 33, 34, 35, 36, 37, 38, 39, 41, 42, 43, 44, 45 (2), 46, 47, 48, 49 (3), 50, 52, 53, 92 (1), 94, 95, 98 (2), 100, 101, 102, 103, 104 (1, 2, 4), 105, 106, 107, 108, 109, 110, 111, 112, 113, 114 (2, 3), 115, 116, 117, 121, 122, 123, 124-125, 126-127, 128-129, 130-131, 132, 134, 135, 136, 137, 138-139, 141, 142, 144, 145, 146.

Choffet. : 38 (1).   Giraudon. :   133.   Roger-Viollet :   140 (1).

Nippon Television Network Corp. Tokyo : 57, 58, 59, 60, 61, 62, 63-64, 65, 66, 67, 68-69, 70-71, 72-73, 74-75, 76-77, 78, 79, 80-81, 82, 83, 84, 85, 86-87.

Imprimé en Suisse par Weber, à Bienne.
Dépôt légal n° 16 – octobre 1990
ISBN: 2.85108.655.3
34.0818.4